GUIDE PRATIQUE DE L'EMPLOYEUR

- 10 000 nouveaux techniciens et technologues disponibles par année
- 132 programmes de formation technique
- 71 CÉGEPS, collèges et instituts au Québec

POUR LE RECRUTEMENT DES DIPLÔMÉS FORMÉS PAR LES CÉGEPS

- techniques biologiques
- technologie agro-alimentaire
- techniques physiques
- techniques humaines
- techniques de l'administration
- arts
- communications graphiques

REMERCIEMENTS

Nous remercions le ministère de l'Éducation du Québec et le ministère de l'Industrie, du Commerce, de la Science et de la Technologie du Québec de leur contribution financière pour la réalisation de ce GUIDE PRATIQUE DE L'EMPLOYEUR ainsi que tous les intervenants du réseau collégial qui ont collaboré à la rédaction de ce guide.

NOTES:

- Dans le présent livre, le genre masculin est utilisé sans aucune discrimination et uniquement dans le but d'alléger le texte.

- Les informations contenues dans ce guide étaient à jour, le 1er septembre 1994.

- Ce guide est en vente dans les librairies du Québec.

Sources utilisées: Repères (version 6.1), Annuaires des collèges, Cahiers de l'enseignement collégial, Guide pratique des études collégiales, Classification nationale des professions.

Édité par le Service régional d'admission
du Montréal métropolitain
C.P. 11028, succursale Centre Ville
Montréal (Québec) H3C 4W9
Téléphone: (514) 271-1124
Télécopieur: (514) 271-1126

Dépôt légal
Bibliothèque nationale du Canada, 1994
Bibliothèque nationale du Québec, 1994
ISBN 2-921 667-01-0

GUIDE PRATIQUE DE L'EMPLOYEUR

PRÉSENTATION
AUX EMPLOYEURS

Chaque année, plus de 10 000 techniciens et technologues sortent des CÉGEPS du Québec munis d'un diplôme d'études collégiales en formation technique et bien préparés à répondre aux besoins des petites, moyennes et grandes entreprises.

Ce GUIDE DE L'EMPLOYEUR veut vous faire connaître ces diplômés, vous expliquer les programmes collégiaux de formation technique et vous présenter les SERVICES DE PLACEMENT des cégeps.

Chaque programme collégial technique est brièvement présenté sur une seule page qui vous indique les compétences acquises par les diplômés, les qualités et les aptitudes développées, les postes habituellement occupés, les lieux de formation et de recrutement. De plus, pour chaque programme, un indicateur du placement 1988 à 1993 est produit et les salaires initiaux versés en 1993 sont indiqués. Les données statistiques sont tirées des relances annuelles des sortants, effectuées depuis six ans par le SRAM qui a rejoint près de 50 000 diplômés, selon une méthodologie éprouvée et reconnue.

De plus, les employeurs trouveront dans ce GUIDE des informations sur le programme de soutien à l'emploi accordé par le M.I.C.S.T. aux employeurs qui embauchent les diplômés et sur le programme de crédit d'impôt remboursable pour la formation (C.I.R.F.), des renseignements sur la formation technique et les stages ainsi qu'un BOTTIN des services de placement des cégeps du Québec.

LA FORMATION TECHNIQUE AU CÉGEP

Le DIPLÔME D'ÉTUDES COLLÉGIALES (D.E.C.) en formation technique exige généralement 3 ans d'études. Les cégeps offrent environ 132 programmes de formation technique, dans 7 grands domaines:

- techniques biologiques
- technologie agro-alimentaire
- techniques physiques
- techniques humaines
- techniques de l'administration
- arts
- communications graphiques

Les programmes de formation technique des cégeps ne forment pas des ouvriers spécialisés ni des hommes ou des femmes de métier. Ces programmes collégiaux forment plutôt des techniciens ou des technologues, c'est-à-dire des personnes qualifiées qui ont acquis la connaissance pratique d'une science. Cette formation est sérieuse et rigoureuse.

ACCÈS AU MARCHÉ DU TRAVAIL

Les détenteurs d'un D.E.C. en formation technique offrent plusieurs avantages.

D'abord, ils accèdent au MARCHÉ DU TRAVAIL, bien préparés et bien formés. Les statistiques confirment que le diplômé du collégial a généralement plus de chances de trouver un emploi qu'un jeune qui n'a en poche qu'un diplôme du secondaire; l'avancement dans l'entreprise est également plus rapide et les salaires augmentent en conséquence; la formation générale ou fondamentale qui s'ajoute à la formation technique forge des jeunes spécialistes plus polyvalents, plus complets, plus mobiles, qui sont mieux préparés à l'embauche et aux promotions.

Des statistiques précises sur le placement des diplômés sont présentées dans les pages de ce guide.

ACCÈS AUX CORPORATIONS

Les diplômés des cégeps ont aussi ACCÈS à plusieurs CORPORATIONS PROFESSIONNELLES, par exemple, dans le domaine de la santé: Ordre des denturologistes du Québec, Ordre des techniciens en radiologie du Québec, Ordre des infirmiers et infirmières du Québec.

Autre exemple, la Corporation professionnelle des technologues professionnels du Québec accueille en ses rangs les finissants d'une soixantaine de programmes collégiaux en techniques biologiques, en techniques physiques, en informatique et en technologie agro-alimentaire.

L'appartenance à de telles corporations constitue une reconnaissance de la compétence.

ACCÈS À L'UNIVERSITÉ

Le perfectionnement des techniciens et des technologues se fait aisément puisque les études faites dans des programmes de formation technique au cégep DONNENT AUSSI ACCÈS À L'UNIVERSITÉ, aux études régulières à temps plein ou à temps partiel.

Plusieurs programmes universitaires accueillent directement les diplômés des techniques collégiales, sans autre préalable, sans autre cours d'appoint.

Certains programmes universitaires sont même conçus exclusivement à l'intention des titulaires d'un diplôme d'études collégiales (D.E.C.) en formation technique. C'est le cas des programmes de baccalauréat en génie offerts par l'École de technologie supérieure, où sont admis, SANS AUTRE CONDITION SUPPLÉMENTAIRE, les détenteurs d'un D.E.C. dans la majorité des programmes en techniques physiques. Un technicien ou un technologue peut donc devenir ingénieur.

Plusieurs autres programmes universitaires admettent les sortants du secteur technique des cégeps, moyennant quelques cours d'appoint. Près de 20% des étudiants universitaires proviennent des programmes techniques des cégeps.

ACCÈS À LA COMPÉTENCE

Ajoutons que les programmes de formation technique des cégeps sont périodiquement mis à jour. Plusieurs programmes prévoient, en outre, des stages en milieu de travail. Si bien que les diplômés répondent aux véritables besoins du marché du travail. La très grande majorité des employeurs et des collègues de travail en entreprise reconnaissent et requièrent la compétence des diplômés des cégeps. Bref, la réputation des jeunes qui ont reçu une formation collégiale technique est excellente. Les jeunes qui le désirent et qui font preuve d'«entrepreneurship» peuvent également fonder leur propre entreprise dans plusieurs domaines. Leur âge, leur formation fondamentale et leur compétence technique leur ouvrent plusieurs horizons.

Les cégeps ont plus de 25 ans d'expérience dans la formation technique des jeunes. Les diplômés collégiaux sont sérieux et reconnus; les diplômés sont compétents et l'avenir leur appartient.

LES PROGRAMMES
DE
FORMATION TECHNIQUE
AU CÉGEP

LES TECHNIQUES
BIOLOGIQUES
ET
AGRO-ALIMENTAIRES

Définition
Le technicien dentaire est un professionnel qui fabrique et répare les prothèses dentaires sur ordonnance d'un dentiste, d'un denturologiste ou d'un médecin dans le but de remplacer les dents naturelles.

Compétences acquises
- Reproduire les prothèses selon les paramètres faciaux et l'articulé dentaire (ajustement intermaxillaire).
- Dessiner et confectionner les prothèses squelettiques (pièce de métal) pour supporter les dents de la prothèse partielle.
- Exécuter le montage de la prothèse pour l'essai en bouche.
- Exécuter les opérations de mise en moufle, de bourrage, de finition.
- Réparer la prothèse pour lui redonner ses qualités fonctionnelles originales.
- Fabriquer des couronnes et des ponts qui seront rattachés à des dents d'ancrage ou dents-piliers.
- Fabriquer ou réparer des prothèses d'orthodontie.

Qualités et aptitudes développées
- Patience • Minutie • Précision • Ordre • Sens de l'esthétique

Postes occupés
- Technicien dentaire
- Technicien en prothèse amovible et fixe
- Technicien en orthodontie
- Technicien en prothèses squelettiques

Indicateur du placement 1988 à 1993
Sortants répondants se destinant à l'emploi:	111	
Total des répondants en emploi:	111	100%

Salaire en 1993
Initial moyen: 8,30 $/heure
Initial supérieur: 10,00 $/heure

Lieu de formation et de recrutement
Communiquez avec le cégep Édouard-Montpetit.

Définition

Le denturologiste est un professionnel de la santé qui confectionne des prothèses dentaires amovibles, complètes et partielles. Il effectue toutes les étapes cliniques avec le patient et réalise, en laboratoire, tous les travaux requis à la réalisation de la prothèse dentaire amovible.

Compétences acquises

- Effectuer l'examen buccal et établir le plan de traitement.
- Prendre des empreintes primaires et finales.
- Fabriquer des porte-empreintes individuels et des maquettes d'essai.
- Enregistrer la relation centrée.
- Installer les dents sur les maquettes d'essai.
- Faire l'essai des maquettes en bouche.
- Finir les prothèses en laboratoire.
- Poser et ajuster les prothèses en bouche.
- Effectuer le suivi post-insertion avec le patient.
- Fabriquer des protecteurs buccaux, des plaques occlusales, etc.

Qualités et aptitudes développées

• Minutie • Précision • Propreté • Sens de l'esthétique • Patience • Sociabilité

Poste occupé

- Denturologiste

Indicateur du placement 1988 à 1993

Sortants répondants se destinant à l'emploi:	137	
Total des répondants en emploi:	136	99%

Salaire en 1993

Initial moyen: 12,00 $/heure
Initial supérieur: n.d. $/heure

Lieu de formation et de recrutement:

Communiquez avec le cégep Édouard-Montpetit.

Définition

Le technicien en hygiène dentaire est un spécialiste de la santé qui applique les règles de l'hygiène buccale et les méthodes scientifiques de contrôle et de prévention des affections bucco-dentaires.

Compétences acquises

- Informer la population par rencontre individuelle ou de groupe, de façon à promouvoir l'hygiène dentaire et à prévenir les affections bucco-dentaires.
- Recueillir les renseignements relatifs à l'état de la santé générale buccale du patient.
- Dépister les maladies bucco-dentaires par un examen buccal sommaire et la prise de radiographies dentaires.
- Utiliser les méthodes scientifiques, comme entre autres:
  - prophylaxie buccale: détartrage et polissage des dents
  - application topique d'agents anticariogènes
  - prise d'empreintes primaires pour modèles d'étude et confection de modèles d'étude
  - dentisterie opératoire: insérer des matériaux obturateurs et des scellants dentaires
- D'autres fonctions allant de l'administration générale à la spécialisation dentaire peuvent être effectuées selon le milieu de travail et conformément au Règlement sur les actes bucco-dentaires délégués entré en vigueur le 13 juin 1991.

L'hygiéniste dentaire utilise et manipule les outils ou instruments tels que: outils de prévention ou adjuvants thérapeutiques, unités dentaires, matériel de prophylaxie (curettes, cavitrons, prophy-jets, etc.) matériel d'examen, appareils radiographiques pour clichés périapicaux, coronaires, panoramiques et céphalométriques, matériel d'insertion en dentisterie opératoire, matériel d'irrigation, matériel de stérilisation, développeur automatique.

Qualités et aptitudes développées

- Respect de la clientèle • Discrétion quant aux informations et aux observations recueillies auprès de la clientèle • Empathie • Sens des responsabilités • Souci de la sécurité • Intégrité • Disponibilité • Diligence • Sociabilité • Minutie et précision dans le travail • Patience. Cela en concordance avec le Code de déontologie des hygiénistes dentaires

Poste occupé

- Hygiéniste dentaire

Indicateur du placement 1988 à 1993

Sortants répondants se destinant à l'emploi:	1120	
Total des répondants en emploi:	1104	99%

Salaire en 1993

Initial moyen: 15,10 $/heure
Initial supérieur: 20,30 $/heure

Lieux de formation et de recrutement

Communiquez avec les cégeps suivants:
Chicoutimi
Édouard-Montpetit
François-Xavier-Garneau
John Abbott
Maisonneuve
Outaouais
Saint-Hyacinthe
Trois-Rivières

TECHNIQUES D'ACUPUNCTURE 112.01

Définition
L'acupuncteur est un spécialiste de la santé qui soigne les maladies à l'aide de fines aiguilles ou par l'emploi de la moxibustion, de ventouses et de la stimulation électrique afin de rétablir l'équilibre énergétique de l'organisme.

Compétences acquises
- Effectuer l'examen médical: interroger le patient sur son état de santé, prendre le pouls, examiner la langue, palper les tissus, etc.
- Poser le diagnostic énergétique.
- Introduire et manipuler les aiguilles en des points précis du corps qui correspondent aux méridiens ou canaux dans lesquels circule l'énergie vitale.
- Surveiller les réactions du patient et le stimuli provoqué par les aiguilles pour faire circuler l'énergie bloquée, tonifier ce qui est déficient et disperser ce qui est en excès.

Qualités et aptitudes développées
- Sens des responsabilités • Sens de l'observation • Ordre • Propreté • Discrétion • Jugement • Minutie • Précision • Sociabilité • Aptitude pour la communication • Autonomie

Poste occupé
- Acupuncteur

Indicateur du placement 1988 à 1993
Sortants répondants se destinant à l'emploi: 38
Total des répondants en emploi: 37   97%

Salaire
Initial moyen: n.d. $/heure
Initial supérieur: n.d. $/heure

Lieu de formation et de recrutement
Communiquez avec le cégep de Rosemont.

Introduction

Le programme de techniques de diététique vise fondamentalement la formation de professionnels ayant une connaissance approfondie des aliments. Il les prépare à devenir des techniciens polyvalents pouvant assumer des responsabilités reliés à tous les champs de leur spécialisation:

gestion des services alimentaires, service à la clientèle, inspection des aliments, industrie agro-alimentaire.

Compétences acquises

Dans le domaine de la gestion des services alimentaires:

• Travailler:
à la gestion du personnel, au contrôle des coûts, à la supervision de la production, à la distribution des aliments, à la gestion des réserves, au respect des principes d'hygiène et de salubrité.

Dans le domaine des services à la clientèle:

• Voir à l'application des prescriptions diététiques.
• Voir à l'éducation en matière de nutrition.
• Diffuser de l'information pour promouvoir un produit alimentaire, une pièce d'équipement, une méthode de travail, de saines habitudes alimentaires.
• Voir à la préparation des aliments pour la présentation de messages publicitaires et de recettes à la télévision.

Dans le domaine de l'inspection des aliments:

• Appliquer les normes de salubrité et de sécurité.
• Respecter les lois spécifiques à l'alimentation.
• Promouvoir, la santé, la salubrité et la sécurité au travail.

Dans les industries agro-alimentaires:

• Contrôler la qualité des aliments en vérifiant leurs propriétés physiques, chimiques, biochimiques et organoleptiques.
• Participer à l'expérimentation, au développement et à la mise en marché de nouveaux produits.

Qualités et aptitudes développées

• Esprit d'équipe • Autonomie • Sens de l'organisation • Leadership • Sens des responsabilités • Facilité de communication • Initiative

Postes occupés

• Technicien en diététique, en contrôle de la qualité, en nutrition
• Technicien en gestion des services alimentaires

Indicateur du placement 1988 à 1993

Sortants répondants se destinant à l'emploi: 740
Total des répondants en emploi: 640 87%

Salaire en 1993

Initial moyen: 10,10 $/heure
Initial supérieur: 13,50 $/heure

Lieux de formation et de recrutement:

Communiquez avec les cégeps suivants:
Chicoutimi
Limoilou
Maisonneuve
Montmorency
Rimouski
Rivière-du-Loup
Saint-Hyacinthe
Trois-Rivières

TECHNOLOGIE DE LABORATOIRE MÉDICAL 140.01

Définition

Le technicien de laboratoire médical est un spécialiste qui collabore avec les médecins de laboratoire en effectuant le travail technique relié aux analyses nécessaires à l'élaboration ou à la confirmation d'un diagnostic ainsi qu'au suivi d'un traitement.

Compétences acquises

- Effectuer des prélèvements.
- Procéder à l'ensemencement de produits biologiques sur des milieux de culture en vue d'isoler et d'identifier le micro-organisme provoquant une infection chez le patient.
- Effectuer les dosages biochimiques de certaines substances (sucre, enzyme, etc.) dans le but de confirmer ou d'infirmer un diagnostic.
- Procéder à toutes les analyses préalables nécessaires avant une transfusion sanguine.
- S'occuper du processus complet menant à l'étude des tissus provenant de la salle d'opération ou ailleurs.
- Réaliser les analyses nécessaires pour évaluer l'état des globules rouges, globules blancs et plaquettes, pour dépister les anémies et les leucémies.
- Effectuer toutes les analyses et contrôler la qualité des résultats obtenus.

En cytotechnologie:

- Détacher les cellules des tissus, préparer les frottis et la coloration des lames de cytologie pour distinguer clairement les caractéristiques de chacune des cellules.
- Observer les caractères physico-chimiques normaux, anormaux ou malins des cellules, les signes de changement de radiation ou les symptômes de processus infectieux.
- Identifier et classifier les cellules étudiées.

Qualités et aptitudes développées

- Jugement • Sens de l'observation • Capacité de concentration • Initiative • Esprit d'équipe • Discrétion • Minutie • Propreté • Patience

Postes occupés

- Cytotechnologiste
- Technologue de laboratoire médical, en recherche, privé et public
- Technicien en santé communautaire
- Technicien en histologie
- Technicien en microbiologie
- Technicien en hématologie
- Technicien en bactériologie
- Technicien de laboratoire médical

Indicateur du placement 1988 à 1993

Sortants répondants se destinant à l'emploi.	904	
Total des répondants en emploi:	825	91%

Salaire en 1993

Initial moyen: 13,40 $/heure
Initial supérieur: 16,00 $/heure

Lieux de formation et de recrutement

Communiquez avec les cégeps suivants:

Chicoutimi	St-Hyacinthe
Dawson	St-Jean-sur-Richelieu
Rimouski	St-Jérôme
Rosemont	Shawinigan
Ste-Foy	Sherbrooke

TECHNIQUES D'ÉLECTROPHYSIOLOGIE MÉDICALE 140.04

Définition

Le technicien en électrophysiologie médicale est un spécialiste des techniques de diagnostic médical. Il manipule les appareils électroniques et informatiques servant à capter et à enregistrer les potentiels bioélectriques émis par différents organes. Il exerce ses fonctions dans les champs cérébral, cardiaque, neuro-musculaire, visuel et labyrintho-auditif.

Compétences acquises

- Recevoir le patient, le préparer à l'examen et créer un climat psychologique positif.
- Fixer les électrodes, manipuler les appareils, surveiller l'enregistrement des tracés, etc.
- Modifier le déroulement de l'examen en fonction des données enregistrées.
- Surveiller les réactions du patient durant l'examen et assurer sa sécurité physique.
- Recueillir les résultats graphiques, classer et consigner les tracés ou les données qu'il doit transmettre au médecin spécialiste.
- Assister le médecin durant certains examens.
- Voir à l'entretien du matériel et des appareils.
- Participer à l'organisation technique et administrative du service.

Le technicien en électrophysiologie utilise ou manipule différents outils et appareils tels que: électrodes et divers capteurs, électroencéphalographe, électromyographe, électronystagmographe, électrocardiographe et micro-ordinateurs dédiés à l'acquisition des données électrophysiologiques.

Qualités et aptitudes développées

- Empathie et patience • Respect et discrétion • Entraide et esprit d'équipe • Habileté manuelle • Sens des responsabilités

Poste occupé

- Technicien en électrophysiologie médicale

Indicateur du placement 1988 à 1993

Sortants répondants se destinant à l'emploi:	103	
Total des répondants en emploi:	101	98%

Salaire en 1993

Initial moyen: 14,90 $/heure
Initial supérieur: n.d.$/heure

Lieu de formation et de recrutement

Communiquez avec le cégep Ahuntsic.

TECHNIQUES D'INHALOTHÉRAPIE ET D'ANESTHÉSIE 141.00

Définition
L'inhalothérapeute est un spécialiste des soins respiratoires. L'inhalothérapeute travaille à améliorer la respiration d'un bénéficiaire, à évaluer la fonction respiratoire, à réanimer dans certaines situations d'urgence, à appliquer des techniques liées à la ventilation artificielle et à assister l'anesthésiste en salle d'opération.

Compétences acquises
- Assurer au bénéficiaire intubé ou trachéotomisé, une ventilation artificielle adéquate.
- Participer aux interventions de réanimation lors d'arrêt respiratoire et cardiaque.
- Assurer la liberté des voies respiratoires du bénéficiaire ayant des obstructions respiratoires.
- Faire passer des tests de fonction pulmonaire au bénéficiaire, afin d'aider le spécialiste à déceler tout problème respiratoire ou ventilatoire.
- Administrer de l'oxygène ou d'autres gaz médicaux avec ou sans médicaments.
- Pratiquer diverses techniques de soins à domicile.
- Assister l'anesthésiste à la salle d'opération et à la salle de réveil.

L'inhalothérapeute utilise différents outils et appareils tels que: respirateur ventimètre, analyseur d'oxygène, sphygmomanomètre, stéthoscope, cardioscope, tube endotrachéal, cylindre d'oxygène, compresseur d'air, ventilateur manuel, masques faciaux, larynxgoscope, concentreur d'oxygène, réanimateur manuel, sonde d'aspiration, saturomètre, capnomètre, réanimateur mécanique, sonde aspiratrice, etc.

Qualités et aptitudes développées
- Sens des responsabilités • Souci du travail bien fait • Précision • Esprit d'initiative • Tact • Contrôle de ses émotions • Aptitudes pour le travail d'équipe • Esprit d'observation • Esprit d'analyse, de synthèse

Postes occupés
- Inhalothérapeute (soins intensifs, anesthésie, laboratoire de fonctions respiratoires, centre de recherche, soins à domicile, C.L.S.C., compagnie de produits médicaux.)
- Technicien en anesthésie

Indicateur du placement 1988 à 1993
Sortants répondants se destinant à l'emploi: **556**
Total des répondants en emploi: **549**   99%

Salaire en 1993
Initial moyen: 15,10 $/heure
Initial supérieur: 15,60 $/heure

Lieux de formation et de recrutement
Communiquez avec les cégeps suivants:
Chicoutimi
Rosemont
Ste-Foy
Sherbrooke
Vanier

Définition
Le technicien en radiologie (diagnostic) est un spécialiste du secteur de la santé qui, au moyen de différents appareils, produit des images médicales afin de permettre au médecin spécialiste (radiologiste) de poser un diagnostic précis.

Compétences acquises
- Lire et évaluer les renseignements cliniques sur la prescription, identifier et juger l'état du patient.
- Choisir les accessoires pertinents à l'examen demandé.
- Expliquer au patient le déroulement de l'examen.
- Informer le patient des effets secondaires, s'il y a lieu.
- Susciter la collaboration du patient.
- Positionner adéquatement le patient.
- Prodiguer des soins.
- Appliquer les mesures de radio-protection.
- Choisir les composantes techniques spécifiques à l'examen.
- Sélectionner les paramètres techniques au pupitre de commande.
- Déclencher l'exposition.
- Évaluer la qualité de l'image produite.
- Effectuer le contrôle de qualité des équipements.

Le technicien en radiologie (diagnostic) utilise différents moyens d'investigation tels que: appareils radiographiques et radioscopiques de type conventionnel, tomographie, scanographie axiale, angiographie, ultrasonographie ainsi que résonance magnétique.

Qualités et aptitudes développées
- Dextérité • Jugement • Entregent • Attention • Délicatesse • Doigté • Patience • Minutie
- Capacité de travailler de façon autonome et en équipe • Sens profond des responsabilités • Esprit d'initiative • Intérêt scientifique

Postes occupés
- Technicien en radiologie
- Représentant de compagnies oeuvrant dans le domaine de la radiologie

Indicateur du placement 1988 à 1993
Sortants répondants se destinant à l'emploi: 365
Total des répondants en emploi: 318   87%

Salaire en 1993
Initial moyen: 14,50 $/heure
Initial supérieur: 15,70 $/heure

Lieux de formation et de recrutement
Communiquez avec les cégeps suivants:
Ahuntsic
Dawson
Rimouski
Ste-Foy

TECHNIQUES DE MÉDECINE NUCLÉAIRE

Définition

Le technologue en radiologie (médecine nucléaire) est un spécialiste du secteur de la santé qui utilise des substances radioactives pour étudier la physiologie et ainsi recueillir les données qui permettront au spécialiste en médecine nucléaire de faire un diagnostic.

Compétences acquises

• Évaluer les renseignements cliniques sur la prescription.
• Établir le contact avec le patient, identifier et juger son état.
• Décrire et expliquer l'examen au patient (recommandations, effets secondaires possibles, etc.)
• Préparer la substance radioactive à utiliser, en déterminer la dose nécessaire et l'injecter au patient.
• Déterminer le temps d'examen et positionner adéquatement le patient pour la prise des scintigraphies.
• Procéder à la prise de photos en manipulant l'appareil de façon précise et sécuritaire.
• Utiliser l'ordinateur pour fournir des images précises des organes à l'étude et pour obtenir des données physiologiques.
• Traiter et analyser les images produites.
• Effectuer les contrôles de la qualité de l'appareillage et des substances administrées.
• Appliquer les mesures de radio-protection pour le patient et lui-même.

Le technologue en radiologie (médecine nucléaire) utilise différents outils et appareils tels que: calibrateur de dose, compteur geiger, caméras à scintillation, à tomographie, appareils à captation, à ventilation, à électrocardiogramme, à pression, stéthoscope, centrifugeuse, plaque chauffante, pipettes, seringues, agitateur, ordinateur, micro–dot, cassettes, matériaux de radioprotection.

Qualités et aptitudes développées

• Sens des responsabilités • Minutie • Précision • Équilibre émotif • Esprit d'équipe
• Discrétion • Patience • Aptitudes pour les relations humaines • Dévouement • Tact
• Présence d'esprit

Poste occupé

• Technicien en radiologie (médecine nucléaire)

Indicateur du placement 1988 à 1993

Sortants répondants se destinant à l'emploi:	90	
Total des répondants en emploi:	87	97%

Salaire en 1993

Initial moyen: 15,30 $/heure
Initial supérieur: n.d.$/heure

Lieu de formation et de recrutement

Communiquez avec le cégep Ahuntsic.

Définition

Le technicien en radio-oncologie est un spécialiste de la santé qui prépare et applique le traitement d'irradiation prescrit par le médecin spécialiste (radio-oncologue) des tumeurs. Il utilise des radiations ionisantes dans le but de traiter les tumeurs malignes des patients qui lui sont confiés.

Compétences acquises

- Évaluer les renseignements cliniques sur la prescription.
- Prendre toutes les données qui lui permettront de planifier avec précision le traitement.
- Préparer et fabriquer le matériel d'immobilisation et les accessoires spécifiques à son traitement selon les mesures de sécurité requises.
- Communiquer les consignes au patient, le positionner et utiliser adéquatement les moyens de contention.
- Calculer les doses de radiation à donner à la tumeur et centrer la région à traiter.
- Orienter de façon précise le faisceau de radiation selon le traitement prescrit, installer des caches pour protéger les parties saines du corps.
- Actionner l'appareil de l'extérieur de la salle selon les données calculées.
- Effectuer les contrôles de qualité et consigner les informations et les observations au dossier.

Le technicien en radio-oncologie utilise différents outils et appareils tels que: appareil cobalt 60, accélérateur linéaire, orthovoltage, haut-débit, sélectron, substances radioactives, ordinateur, appareils de détection, matériaux de radioprotection, microsélection, plâtre, acrylique, alliage de métaux.

Qualités et aptitudes développées

- Sens des responsabilités • Présence d'esprit • Précision • Minutie • Aptitudes • Dextérité manuelle • Travail d'équipe • Savoir écouter

Postes occupés

- Technicien en radiothérapie
- Technicien en radio-oncologie

Indicateur du placement 1988 à 1993

Sortants répondants se destinant à l'emploi:	25	
Total des répondants en emploi:	25	100%

Salaire en 1993

Initial moyen: 14,80 $/heure
Initial supérieur: 15,30 $/heure

Lieux de formation et de recrutement

Communiquez avec les cégeps suivants:
Ahuntsic
Dawson
Ste-Foy

TECHNIQUES DE RÉADAPTATION 144.00

Définition
Le thérapeute en réadaptation physique est un intervenant dont le travail consiste à maintenir, améliorer ou rétablir les capacités physiques des personnes en utilisant différentes techniques de réadaptation.

Compétences acquises
- Établir le bilan des capacités physiques du patient par des tests, mesures, observations pour déterminer le traitement.
- Élaborer en collaboration avec les autres intervenants, les objectifs et la nature du traitement.
- Appliquer les traitements et en assurer le suivi.
- Concevoir et animer des classes d'exercices.
- Exécuter le travail complémentaire au traitement: rédaction des dossiers, réunions multidisciplinaires, etc.

Le thérapeute en réadaptation intervient en réadaptation orthopédique, rhumatologique, neurologique, pneumologique, circulatoire et gériatrique. Pour ce faire, il utilise des techniques d'électrothérapie, d'étirage et de renforcement musculaire, des massages, l'utilisation de la chaleur et du froid, etc.

Qualités et aptitudes développées
- Équilibre émotif • Patience • Capacité d'écoute et de relation d'aide • Capacité de travailler en équipe • Jugement, capacité d'analyse et de synthèse • Sens des responsabilités et de l'organisation • Sociabilité • Capacité de communiquer verbalement et par écrit

Poste occupé
- Thérapeute en réadaptation physique

Indicateur du placement 1988 à 1993
Sortants répondants se destinant à l'emploi:	474	
Total des répondants en emploi:	420	89%

Salaire en 1993
Initial moyen: 11,40 $/heure
Initial supérieur: 14,80 $/heure

Lieux de formation et de recrutement
Communiquez avec les cégeps suivants:
Chicoutimi
François–Xavier-Garneau
Marie-Victorin
Montmorency
Sherbrooke

TECHNIQUES D'ORTHÈSES ET DE PROTHÈSES 144.03

Définition

Le technicien en orthèses et prothèses orthopédiques est un spécialiste des techniques de fabrication des appareils prothétiques et orthopédiques.

Compétences acquises

• Évaluer les besoins relatifs en orthèse et prothèse de personnes ayant une ou des déficiences physiques.
• Concevoir les appareils, les fabriquer, les adapter, les modifier ou les ajuster.
• Procéder aux essayages et à la livraison.

Le technicien en orthopédie-prothèse utilise différents outils, appareils et matériaux tels que: équipement de prise de mesure, sableuse, machine à coudre, découpeuse, plastique, métaux, cuir.

Qualités et aptitudes développées

• Communication et relation d'aide • Minutie • Bonne dextérité manuelle • Habilité mnémotechnique en réalisation d'appareils • Sociabilité • Résolution de problèmes dans la conception d'appareils

Poste occupé

Technicien en orthèses et prothèses orthopédiques

Indicateur du placement 1988 à 1993

Sortants répondants se destinant à l'emploi:	88	
Total des répondants en emploi:	87	99%

Salaire en 1993

Initial moyen: 11,60$/heure
Initial supérieur: 13,20$/heure

Lieu de formation et de recrutement:

Communiquez avec le cégep Montmorency.

ÉCOLOGIE APPLIQUÉE

(AMÉNAGEMENT DE LA FAUNE)

Définition
Le technicien en écologie appliquée est un spécialiste de la biologie qui effectue les tâches techniques reliées à l'inventaire et à l'échantillonnage de la faune et de la flore: traitement des données biophysiques, analyses de laboratoire, cartographie écologique, etc.

Compétences acquises
- Effectuer les inventaires biologiques d'un territoire selon les plans établis.
- Effectuer des inventaires écologiques sur le terrain.
- Compiler les données recueillies lors des inventaires et participer à l'analyse des résultats.
- Consigner les résultats des analyses.
- Effectuer les prélèvements de sol et préparer les spécimens de plantes terrestres ou aquatiques.
- Effectuer des travaux reliés à l'aménagement de la faune, de la flore, des cours d'eau, des lacs et des sentiers écologiques.
- Recueillir les spécimens et participer au montage et à la conservation des collections.
- Renseigner le public sur l'écologie: expliquer la nature et le fonctionnement des écosystèmes et la biologie des espèces.
- Participer à la gestion des ressources humaines et matérielles.

Le technicien en aménagement de la faune et de la flore utilise différents outils et appareils tels que: stéréoscope, télémétrie, microscope, appareils d'analyses physico-chimiques en laboratoire et sur le terrain, matériel de capture de poissons, oiseaux, mammifères, etc.

Qualités et aptitudes développées
- Curiosité intellectuelle • Esprit méthodique • Sens de l'observation • Minutie
- Patience • Esprit d'initiative • Esprit d'équipe • Disponibilité

Postes occupés
- Technicien en écologie appliquée
- Technicien en aménagement de la faune et de la flore
- Technicien en environnement
- Technicien écologiste
- Guide interprète
- Inspecteur en produits piscicoles

Indicateur du placement 1988 à 1993
Sortants répondants se destinant à l'emploi: 136
Total des répondants en emploi: 83   61%

Salaire en 1993
Initial moyen: 9,10 $/heure
Initial supérieur: 13,50 $/heure

Lieux de formation et de recrutement
Communiquez avec les cégeps suivants:
La Pocatière
Sherbrooke
Vanier

TECHNIQUES D'INVENTAIRE
ET DE RECHERCHE EN BIOLOGIE 145.02

Définition:
Le technicien diplômé de ce programme procède à des inventaires écologiques et fournit une aide technique aux professionnels oeuvrant dans le domaine de l'environnement, de la recherche en biologie animale ou végétale, de la microbiologie, de la biologie cellulaire et moléculaire, de l'agriculture et des sciences de la santé.

Compétences acquises
• Faire des essais et des expériences de base en biologie de l'environnement.
• Participer à des échantillonnages et des inventaires sur le terrain.
• Procéder à des identifications d'organismes.
• Effectuer des analyses de données et de laboratoire (contrôle de la qualité).
• Diriger ou superviser des programmes opérationnels.
• Rédiger des rapports.
• Acquérir une compréhension globale du fonctionnement d'un écosystème.

Qualités ou aptitudes développées
• Intérêt pour l'étude de l'environnement en milieu naturel et en laboratoire • Minutie • Autonomie • Planification du travail • Sens de l'observation • Sens des responsabilités • Persévérance • Capacité d'analyse et de synthèse • Initiative

Postes occupés
• Technicien en laboratoire, en laboratoire d'enseignement, en sciences naturelles et en entomologie, en toxicologie, en phytotechnologie, en aquaculture, en microbiologie, en biologie aquatique et marine.
• Animateur et vulgarisateur en sciences naturelles

Indicateur du placement de 1988 à 1993
Sortants répondants se destinant à l'emploi: 65
Total des répondants en emploi: 49 75%

Salaire en 1993
Initial moyen: 10,20 $/heure
Initial supérieur: 12,40 $/heure

Lieu de formation et de recrutement
Communiquez avec le cégep de Ste-Foy.

SANTÉ ANIMALE 145.03

Définition
Le technicien en santé animale travaille dans tous les secteurs d'activités reliés à la santé et à l'utilisation des animaux.

Compétences acquises
En tant qu'assistant vétérinaire:
- Avoir la responsabilité du travail de bureau et des relations avec la clientèle et les organismes publics.
- Effectuer, sous la surveillance vétérinaire, les opérations relatives aux techniques radiologiques et de nursing.
- Appliquer, sous supervision du vétérinaire ou d'un responsable qualifié, les principes d'hygiène.
- Effectuer, sous supervision du vétérinaire ou du chercheur, les tests biomédicaux sur les prélèvements d'origine animale en vue de fournir des données utiles aux diagnostics et aux traitements de diverses maladies. Procéder aux toilettage et aux soins esthétiques des animaux de compagnie.

En tant que technicien en expérimentation animale:
- Avoir la responsabilité du travail de bureau et des relations avec la clientèle et les organismes publics.
- Effectuer, sous supervision du vétérinaire ou du chercheur, les tests biomédicaux sur les prélèvements d'origine animale en vue de fournir des données utiles aux diagnostics et aux traitements de diverses maladies.
- Réaliser ou superviser les activités d'élevage, d'entretien et de gestion d'une animalerie (animaux d'expérimentation, de compagnie, de la faune).
- Réaliser, sous la supervision du chercheur, les interventions sur l'animal exigées par le protocole de recherche.
- Remplir le rôle d'administrateur et superviseur du personnel.

Qualités et aptitudes développées
• Sens de l'observation • Sens des responsabilités et éthique professionnelle • Minutie et souci du travail bien fait • Capacité de communiquer avec la clientèle • Propreté • Patience • Initiative • Esprit d'équipe • Ordre • Capacité de planifier et d'organiser le travail

Postes occupés
- Technicien en santé animale
- Assistant-vétérinaire
- Technicien en expérimentation animale
- Technicien de laboratoire vétérinaire
- Inséminateur
- Technicien en toxicologie

Indicateur du placement 1988 à 1993
Sortants répondants se destinant à l'emploi:	283	
Total des répondants en emploi:	253	89%

Salaire en 1993
Initial moyen:	9,90 $/heure
Initial supérieur:	14,70 $/heure

Lieux de formation et de recrutement
Communiquez avec les cégeps suivants:
Laflèche
La Pocatière
Lionel-Groulx
Sherbrooke
Vanier

TECHNIQUES D'AMÉNAGEMENT CYNÉGÉTIQUE ET HALIEUTIQUE   145.04

Définition

Le technicien en aménagement cynégétique et halieutique est un spécialiste de l'exploitation faunique qui agit comme intermédiaire entre le public sportif et les ressources cynégétiques et halieutiques, notamment à titre d'aménagiste ou de gestionnaire. Il assure la conservation et l'exploitation rationnelle du milieu naturel dans le domaine de la chasse et de la pêche.

Compétences acquises

- Effectuer les inventaires biologiques sur un territoire selon les plans préétablis.
- Effectuer l'ensemencement et la reproduction artificielle de poissons.
- Compiler les données recueillies dans les inventaires et participer à l'analyse des résultats; en consigner les principales observations et conclusions.
- Effectuer des échantillons de sols, préparer des spécimens de plantes terrestres ou aquatiques et procéder à des travaux d'aménagement de la faune, de la flore et de l'eau.
- Recueillir des spécimens et participer au montage et à la conservation des collections.
- Organiser des activités d'interprétation de la nature, monter des expositions, guider des groupes en milieu naturel.
- Aménager des sentiers.
- Gérer des ressources humaines et matérielles.
- Organiser des excursions de chasse, de pêche, en forêt, en canot-camping, entre autres.
- Gérer l'utilisation et l'entretien des équipements.
- Informer le public sur les lois de la conservation de la faune.
- Enseigner au public diverses techniques: chasse, pêche, maniement des armes à feu, canot-camping, orientation, survie, secourisme, etc.
- Aménager et gérer une entreprise en milieu naturel.

Le technicien en aménagement cynégétique et halieutique utilise différents outils et appareils tels que: ordinateur, microscope, matériel de dissection, trousse d'analyse d'eau, échosonder, engin de capture (piège, filet, seine, pêche électrique), jumelles, planimètre, curvimètre, carte, boussole, stéréoscope et photo-aérienne, appareil photographique, scie mécanique, véhicules tout-terrain, embarcations.

Qualités et aptitudes développées

- Sociabilité • Capacité de diriger des équipes • Sens de la coopération • Initiative • Entregent • Sens de l'observation • Sens de l'organisation • Jugement • Esprit méthodique • Dynamisme

Postes occupés

- Technicien en aménagement cynégétique et halieutique
- Garde-chasse
- Pourvoyeur chasse et pêche
- Animateur
- Directeur de projets
- Guide

Indicateur du placement 1988 à 1993

Sortants répondants se destinant à l'emploi:	70	
Total des répondants en emploi:	58	83%

Salaire en 1993

Initial moyen: 12,50 $/heure
Initial supérieur: 16,50 $/heure

Lieux de formation et de recrutement

Communiquez avec le cégep de Baie-Comeau.

TECHNIQUES DU MILIEU NATUREL 147.01

Définition
Le technicien en milieu naturel est un intervenant polyvalent oeuvrant dans des fonctions de travail reliées à l'exploitation, à l'aménagement et à la protection des richesses du milieu.

Compétences acquises
- Posséder une connaissance globale du milieu, des éléments, des lois et des principes qui régissent le fonctionnement, les possibilités et les limites de tout écosystème.
- Réaliser les principaux modes d'intervention dans les écosystèmes.
- Démontrer sa compréhension des notions de gestion intégrée des ressources et du milieu.

Le technicien en milieu naturel a été formé pour intervenir de façon globale sur le milieu et non pour exercer un seul type de fonction de travail.

Qualités et aptitudes développées
- Respect de la nature • Polyvalence • Sens de l'observation • Aptitude pour la communication et le travail d'équipe • Curiosité intellectuelle • Autonomie

Postes occupés
- Technicien en milieu naturel
- Technicien en environnement
- Technicien en aménagement de la faune agricole ou piscicole
- Technicien en échantillonnage
- Technicien en laboratoire de biologie
- Zoo-technicien

Indicateur du placement 1988 à 1993
Sortants répondants se destinant à l'emploi:	280	
Total des répondants en emploi:	251	90%

Salaire en 1993
Initial moyen: 15,00 $/heure
Initial supérieur: 19,00 $/heure

Lieu de formation et de recrutement
Communiquez avec le cégep de St-Félicien.

GESTION ET EXPLOITATION DE L'ENTREPRISE AGRICOLE   152.03

Définition
L'agriculteur, gestionnaire d'une entreprise, est une personne qui exploite une entreprise agricole et qui s'adonne à l'ensemble des travaux de transformation du milieu naturel pour la production des végétaux et des animaux utiles à l'homme.

Compétences acquises
En gestion:
- Faire l'administration courante et produire les budgets de l'entreprise agricole.
- Élaborer un programme de financement et planifier le développement de l'entreprise.
- Élaborer un dossier d'établissement ou de production.

En productions animales:
- Élaborer et appliquer un programme d'alimentation animale.
- Élaborer et appliquer un programme de reproduction et d'amélioration.
- Donner des soins d'hygiène et de santé à un troupeau.
- Contrôler la qualité et planifier la production du lait.

En productions végétales:
- Appliquer des notions de fertilisation et d'amendement du sol.
- Dépister les ennemis de culture et utiliser des pesticides.
- Implanter, entretenir, récolter, préconditionner et entreposer une production végétale donnée.

En génie rural:
- Effectuer l'entretien et la réparation de l'outillage et de la machinerie.
- Planifier l'aménagement des bâtiments agricoles.
- Préparer le sol et appliquer des notions de conservation du sol et de l'eau.

Qualités et aptitudes développées
- Initiative • Autonomie • Discipline • Disponibilité • Jugement • Sens des affaires

Postes occupés
- Agriculteur gestionnaire d'une entreprise
- Directeur d'exploitation agricole
- Exploitant de ferme laitière
- Producteur de bovins, de porcins, d'ovins, d'animaux à fourrure, de lapins, etc.
- Producteur de céréales, de pommes de terre, etc.

Indicateur du placement 1988 à 1993
Sortants répondants se destinant à l'emploi: 392
Total des répondants en emploi: 360   92%

Salaire en 1993
Initial moyen: 7,70 $/heure
Initial supérieur: 10,70 $/heure

Lieux de formation et de recrutement
Communiquez avec les cégeps suivants:
Alma
Joliette-De Lanaudière
Lévis-Lauzon
Matane
St-Jean-sur-Richelieu
Victoriaville
Macdonald College
Institut de technologie agro-alimentaire de La Pocatière
Institut de technologie agro-alimentaire de Saint-Hyacinthe

ZOOTECHNOLOGIE

Définition

Le technologue en production animale est un spécialiste de l'élevage commercial qui collabore avec les agronomes et les agriculteurs en mettant en application les méthodes scientifiques d'élevage dans le but d'améliorer la productivité et la rentabilité des entreprises reliées aux différentes productions animales.

Compétences acquises

- Conseiller les agriculteurs sur la gestion, la sélection des sujets d'élevage, l'alimentation et le contrôle de la production.
- Aider les producteurs à interpréter les résultats des analyses.
- Appliquer les règles d'hygiène.
- Participer dans le cadre de programmes d'expérimentation à des expériences sur les animaux de ferme.
- Rédiger les rapports et collaborer à la rédaction des articles destinés à la publication.
- Recueillir et colliger différentes données permettant l'étude de rentabilité de la gestion à la ferme.

Le technologue en production animale utilise différents outils et appareils tels que: balance de précision, cadran de régie, appareils à ultra-son, matériel de laboratoire de pathologie, ordinateur.

Qualités et aptitudes développées

- Curiosité intellectuelle • Jugement • Sens de l'observation • Sens des responsabilités et de l'organisation • Initiative • Autonomie • Esprit d'équipe • Sociabilité • Capacité d'adaptation

Postes occupés

- Technologue en production animale
- Conseiller technique en élevage
- Contrôleur laitier
- Représentant technique en production animale
- Gérant de production spécialisée

Indicateur du placement 1988 à 1993

Sortants répondants se destinant à l'emploi: 266
Total des répondants en emploi: 251   94%

Salaire en 1993

Initial moyen: 10,60 $/heure
Initial supérieur: 13,00 $/heure

Lieux de formation et de recrutement

Communiquez avec les établissements suivants:
Institut de technologie agro-alimentaire de La Pocatière
Institut de technologie agro-alimentaire de Saint-Hyacinthe

HORTICULTURE LÉGUMIÈRE ET FRUITIÈRE 153.02

Définition

Le technologue en horticulture légumière et fruitière est un spécialiste des productions fruitières, maraîchères et des grandes cultures. Il planifie, organise, conseille et fournit aux producteurs de l'information sur les derniers progrès techniques. Il cherche des solutions aux problèmes de production afin d'augmenter la productivité et la rentabilité des entreprises horticoles.

Compétences acquises

• Fournir de l'information sur les productions légumières et fruitières et sur les soins à donner aux cultures.
• Vendre du matériel, des équipements et des services.
• Planifier les cultures, de la semence à la récolte.
• Identifier les problèmes reliés à une production donnée et suggérer des solutions.
• Évaluer les coûts et la rentabilité des cultures.
• Établir des liens avec les organismes de mise en marché.
• Entretenir la machinerie et les outils.

Qualités et aptitudes développées

• Sens des responsabilités • Initiative • Persuasion • Jugement • Capacité d'adaptation • Autonomie • Aptitudes pour la communication

Postes occupés

• Technologue en horticulture légumière et fruitière
• Technicien en serre
• Horticulteur fruitier
• Producteur de fruits et légumes

Indicateur du placement 1988 à 1993

Sortants répondants se destinant à l'emploi: 35
Total des répondants en emploi: 35 100%

Salaire en 1993

Initial moyen: 8,50 $/heure
Initial supérieur: 10,50 $/heure

Lieu de formation et de recrutement

Communiquez avec l'Institut de technologie agro-alimentaire de St-Hyacinthe.

HORTICULTURE ORNEMENTALE   153.03

Définition
Le technologue en horticulture ornementale est un spécialiste de l'horticulture formé pour accomplir des tâches techniques dans des centres de jardins, des entreprises d'aménagement paysager, des pépinières, des entreprises serricoles, des golfs, des villes ou des municipalités.

Compétences acquises
- Renseigner le public sur la culture des plantes ornementales, les techniques reliées à ces cultures et les soins à donner aux plantes.
- Planifier et réaliser des cultures en pépinière, centre de jardin et serres.
- Exécuter et diriger des travaux de paysagisme.
- Gérer des espaces verts.
- Faire la promotion de produits, de matériels, d'équipements et de services.
- Entretenir les outils et la machinerie d'usage courant.
- Participer au fonctionnement et à la gestion des entreprises spécialisées dans l'horticulture.
- Participer à des programmes de recherche.
- Concevoir et réaliser des aménagements paysagers.

Qualités et aptitudes développées
- Autonomie • Sens artistique • Capacité d'adaptation • Minutie

Postes occupés
- Technologue en horticulture ornementale
- Directeur d'entreprise d'aménagement paysager
- Gérant de centre de jardin, de pépinière.
- Responsable de la production horticulture dans les pépinières
- Contremaître de travaux d'aménagement paysager
- Horticulteur

Indicateur du placement 1988 à 1993
Sortants répondants se destinant à l'emploi:	212	
Total des répondants en emploi:	212	100%

Salaire en 1993
Initial moyen: 8,50 $/heure
Initial supérieur: 17,00 $/heure

Lieu de formation et de recrutement
Communiquez avec l'Institut de technologie agro-alimentaire de St-Hyacinthe.

TECHNOLOGIE DU GÉNIE RURAL 153.05

Définition

Le technologue en génie rural conseille les agriculteurs sur l'achat, l'entretien et l'utilisation de la machinerie agricole. Il les conseille aussi sur les projets d'aménagement pour conserver l'eau et le sol et sur la construction afin d'assurer l'efficacité et la rentabilité de leur exploitation agricole.

Compétences acquises

- Exécuter des tâches reliées à la conservation de l'eau et du sol: drainage, irrigation et aménagement.
- Participer à l'arpentage des sites d'aménagement.
- Préparer les plans et devis pour l'aménagement de terrain ou pour des travaux de construction.
- Préparer les chantiers pour la réalisation des travaux.
- Surveiller les travaux.
- Étudier les caractéristiques de l'entreprise agricole où une construction est prévue.
- Sélectionner les machines en fonction des travaux à effectuer.
- Faire la vente et assurer le service après vente pour des compagnies de machinerie et d'équipement agricole.
- Expliquer le fonctionnement et l'entretien des machines.
- Planifier, vendre et installer des équipements reliés à la manutention et la transformation des produits agricoles.

Qualités et aptitudes développées

- Sens de l'organisation • Sens des responsabilités • Aptitudes pour la communication

Postes occupés

- Technologue en génie rural
- Technologue en génie conseil
- Technicien en équipements et en machines agricoles

Indicateur du placement 1988 à 1993

Sortants répondants se destinant à l'emploi:	55	
Total des répondants en emploi:	53	96%

Salaire en 1993

Initial moyen: 10,00 $/heure
Initial supérieur: 11,00 $/heure

Lieu de formation et de recrutement

Communiquez avec l'Institut de Technologie agro-alimentaire de Saint-Hyacinthe.

TECHNIQUES DES PRODUCTIONS VÉGÉTALES 153.06

Définition
Le technologue en productions végétales effectue diverses tâches techniques reliées à la production végétale, que ce soit pour l'alimentation de l'homme ou des animaux, de façon durable ou biologique, avec un objectif de rentabilité.

Compétences acquises
- Conseiller les producteurs sur la planification, la protection, la récolte et la conservation de diverses cultures: fourragères, céréalières, oléo–protéagineuses, légumières, fruitières, cultures en serres et plantes ornementales.
- Identifier les principales maladies et les principaux insectes qui affectent les cultures.
- Élaborer et appliquer un programme de régie de culture.
- Gérer une production végétale dans l'exercice de ses fonctions.
- Participer à des expériences, en laboratoire ou sur le terrain dans le cadre de recherches sur les productions végétales.
- Représenter des entreprises de biens et services.
- Appliquer les principes de l'aménagement paysager et les techniques de culture des plantes ornementales.
- Réaliser des activités d'information et de formation.

Qualités et aptitudes développées
• Curiosité intellectuelle • Sens de l'observation et des responsabilités • Initiative • Dynamisme • Minutie • Sens de l'organisation • Aptitudes à la communication • Préoccupations environnementales

Postes occupés
- Technologue en productions végétales
- Technologue agricole
- Phytotechnologiste

Indicateur du placement 1988 à 1993
Sortants répondants se destinant à l'emploi: 28
Total des répondants en emploi: 24   86%

Salaire en 1993
Initial moyen: 13,20 $/heure
Initial supérieur: 15,40 $/heure

Lieu de formation et de recrutement
Communiquez avec l'Institut de technologie agro-alimentaire de La Pocatière.

TECHNOLOGIE DE LA
TRANSFORMATION DES ALIMENTS 154.04

Définition

Le technicien en transformation des aliments travaille dans le domaine de la transformation des aliments; particulièrement en contrôle de la qualité, en contrôle des procédés, en assurance qualité et en recherche et développement.

Compétences acquises

- Faire des analyses physico-chimiques ordinaires.
- Utiliser les instruments en analyse instrumentale.
- Organiser le fonctionnement général d'un laboratoire.
- Réaliser des tests organoleptiques.
- Appliquer la législation relative aux produits alimentaires dans des situations de travail.
- Fabriquer des produits alimentaires.
- Participer au développement de nouveaux produits.
- Contrôler la sanitation dans une usine.
- Diriger des techniciens et des ouvriers.
- S'assurer de la qualité et de la régularité de la production.
- Diriger des chaînes de fabrication de produits alimentaires.
- Établir des systèmes de contrôle sur les machines.

Qualités et aptitudes développées

- Sens des responsabilités • Propreté • Bon jugement • Sens de l'observation • Sens de l'organisation

Postes occupés

- Technologue en fabrication de produits alimentaires
- Technologue de laboratoire de production alimentaire
- Contrôleur de la qualité
- Inspecteur d'usine
- Inspecteur de produits alimentaires

Indicateur du placement 1988 à 1993

Sortants répondants se destinant à l'emploi:	237
Total des répondants en emploi:	219 92%

Salaire en 1993

Initial moyen: 8,50 $/heure
initial supérieur: 14,00 $/heure

Lieu de formation et de recrutement

Communiquez avec l'Institut agro-alimentaire de Saint-Hyacinthe

Introduction

Le programme de techniques équines vise la maîtrise de tous les aspects techniques reliés à la bonne forme du cavalier de type western ou de type classique. Il permet aussi, par l'option des courses attelées, la maîtrise des meilleures techniques reliées au débourrage et à l'entraînement des chevaux de type Standardbred en vue de la performance dans les hippodromes.

Compétences acquises

En équitation western ou classique:
- Donner des cours en équitation.
- Agir comme guide de randonnée.
- Entraîner les chevaux de compétition.
- Appliquer un programme de reproduction.
- Établir les programmes de débourrage.
- Suivre les règles médicales.
- Appliquer les programmes alimentaires.
- Assurer la régie d'écurie.
- Prodiguer les soins aux chevaux.
- Gérer un centre d'équitation ou une ferme d'élevage.
- Faire la commercialisation des chevaux.
- Organiser des compétitions.
- Apporter un soutien technique dans la régie d'élevage.

En entraînement de chevaux de course:
- Entraîner les jeunes chevaux à la course.
- Améliorer les performances en compétition.
- Appliquer un programme de reproduction.
- Établir les programmes d'entraînement.
- Appliquer les soins aux chevaux.
- Gérer un centre d'entraînement.
- Suivre les règles médicales.
- Préparer les chevaux aux courses.
- Apporter un soutien technique dans la régie d'élevage.

Qualités et aptitudes développées

En équitation western ou classique:
- Souplesse • Entregent • Discipline • Bons réflexes • Bon jugement • Sang froid et patience • Facilités en communication • Sens de l'observation

En entraînement de chevaux de course:
- Maîtrise de soi • Désir de vaincre • Force de caractère • Sens de l'observation • Sens des responsabilités • Débrouillardise • Dynamisme • Discrétion • Entregent

Postes occupés
- Technicien équin
- Cavalier
- Entraîneur de chevaux

Indicateur du placement 1988 à 1993

Sortants répondants se destinant à l'emploi:	51	
Total des répondants en emploi:	48	94%

Salaire en 1993

Initial moyen:	n.d. /heure
Initial supérieur:	n.d. /heure

Lieu de formation et de recrutement

Communiquez avec l'Institut de technologie agro-alimentaire de La Pocatière.

TECHNIQUES D'ORTHÈSES VISUELLES 160.01

Définition
L'opticien d'ordonnances est un professionnel des techniques de l'optique qui exécute les ordonnances des ophtalmologistes et des optométristes, qui vend et ajuste les lunettes, les lentilles cornéennes et autres instruments optiques.

Compétences acquises
• Ajuster les lentilles cornéennes selon les ordonnances.
• Exécuter la prise de mesure relative à la pose des verres dans une monture.
• Ajuster les lunettes conformément à la physionomie d'un client.
• Fabriquer les verres correcteurs.
• Fabriquer les lentilles cornéennes.
• Assumer diverses tâches administratives.

Dans le cadre de ce programme, l'opticien d'ordonnances a appris à utiliser différents outils et appareils, tels que: kératomètre, biomicroscope, polisseur sphérique, radioscope, lampe Burton, lentilles d'essais, prismes, filtre rouge, cache, visuscope, pupillomètre, lentimètre, miroirs, diopromètre .

Qualités et aptitudes
• Sociabilité • Empathie • Sens de l'esthétique • Minutie • Précision • Patience

Poste occupé
• Opticien d'ordonnances

Indicateur du placement 1988 à 1993
Sortants répondants se destinant à l'emploi: 173
Total des répondants en emploi: 173   100%

Salaire en 1993
Initial moyen: 12,80 $/heure
Initial supérieur: 15,00 $/heure

Lieu de formation et de recrutement
Communiquez avec le cégep Édouard-Montpetit.

AUDIOPROTHÈSE

Définition

L'audioprothésiste est un spécialiste des prothèses auditives qui a la compétence de vendre, de poser, d'ajuster ou de remplacer, sur prescription médicale, des prothèses auditives. Il travaille en vue d'améliorer l'audition des malentendants.

Compétences acquises

- Accueillir les clients.
- Exécuter les opérations entourant la pose, l'ajustement, le remplacement et la vente des prothèses auditives.
- Assurer le suivi systématique de ses clients.
- Assumer les responsabilités de gestion inhérentes à l'exercice de sa fonction.
- Travailler en étroite collaboration avec les médecins, les orthophonistes ou les audiologistes qui émettent à leurs clients le certificat attestant la nécessité de la prothèse.

Qualités et aptitudes développées

- Patience • Tact • Sens des responsabilités • Minutie • Sociabilité

Poste occupé

- Audioprothésiste

Indicateur du placement 1988 à 1993

Sortants répondants se destinant à l'emploi:	60	
Total des répondants en emploi:	58	97%

Salaire en 1993

Initial moyen:	n.d.$/heure
Initial supérieur:	n.d.$/heure

Lieu de formation et de recrutement

Communiquez avec le cégep de Rosemont.

TECHNIQUES DE THANATOLOGIE

Définition

Le technicien en thanatologie est une personne qualifiée pour répondre aux besoins du public à l'occasion d'un décès. Il exerce ses fonctions principalement dans des entreprises de services funéraires et auprès des familles et assure les services suivants: accueil aux familles en deuil, organisation des rites funéraires, transport et soins des corps des défunts, entretien et gestion des services, équipements et immeubles et gestion des ressources humaines. Il peut collaborer en interdisciplinarité avec les pathologistes et anatomo-pathologistes en divers milieux ainsi qu'avec des professionnels de la santé et des services sociaux.

Compétences acquises

• Maîtriser les techniques de manipulation, transport et soins de thanatopraxie-restauration et conservation des dépouilles mortelles en respect des besoins et des volontés des familles, selon des rites et coutumes divers, en conformité avec les législations courantes.

• Accueillir les familles en deuil, les renseigner et les conseiller sur les droits et privilèges, les services, les biens et produits divers entourant les rites funéraires.

• Exécuter les opérations courantes entourant les services et l'entretien des lieux et équipements.

Qualités et aptitudes développées

• Empathie, énergie • Équilibre émotif et psychologique • Capacité de restaurer les caractéristiques des traits humains

Postes occupés

• Technicien en thanatologie
• Technicien de laboratoire
• Technicien à la morgue
• Administrateur ou directeur de salon funéraire
• Conseiller auprès des familles

Indicateur du placement 1988 à 1993

Sortants répondants se destinant à l'emploi: 80
Total des répondants en emploi: 80   100%

Salaire en 1993

Initial moyen: n.d. $/heure
Initial supérieur: n.d. $/heure

Lieu de formation et de recrutement

Communiquez avec le cégep Rosemont.

Introduction

Les soins infirmiers offrent un service d'aide, aux individus, dans des situations courantes, à tous les âges de la vie.

Compétences acquises

- Identifier les besoins de santé.
- Exécuter les soins qui en découlent.
- Enseigner à des individus.
- Prodiguer des soins selon une ordonnance médicale.
- Accomplir des actes professionnels en collaboration avec une équipe multi-disciplinaire.
- Dispenser des soins infirmiers relevant des aspects de la promotion de la santé et du recouvrement de la santé.
- Dispenser un service d'aide.
- S'intégrer à une équipe de soins infirmiers.

Qualités et aptitudes développées

- Sens des responsabilités • Capacité d'adaptation • Discrétion • Esprit d'équipe
- Équilibre émotif • Aptitudes pour les contacts humains

Poste occupé

- L'infirmière généraliste travaille dans les établissements régis par le ministère de la Santé et des Services Sociaux et accomplit les tâches attribuées à l'infirmière de chevet.

Indicateur du placement 1988 à 1993

Sortants répondants se destinant à l'emploi:	6366	
Total des répondants en emploi:	6071	95%

Salaire en 1993

Initial moyen: 15,00 $/heure
Initial supérieur: 16,70 $/heure

Lieux de formation et de recrutement

Communiquez avec les cégeps suivants:

Abitibi-Témiscamingue
Alma
André-Laurendeau
Baie-Comeau
Beauce-Appalaches
Chicoutimi
Dawson
de Bois de Boulogne
Drummondville
Édouard-Montpetit
François-Xavier-Garneau
Gaspésie et des Îles
Granby Haute-Yamaska
Héritage
John Abbott

Joliette-De
  Lanaudière
Jonquière
La Pocatière
Lévis-Lauzon
Limoilou
Maisonneuve
Matane
Montmorency
Outaouais
Région de l'Amiante
Rimouski
Rivière-du-Loup
St-Félicien
Ste-Foy

St-Hyacinthe
St-Jean-sur-Richelieu
St-Jérôme
St-Laurent
Sept-Îles
Shawinigan
Sherbrooke
Sorel-Tracy
Trois-Rivières
Valleyfield
Vanier
Victoriaville
Vieux Montréal

TRANSFORMATION DES PRODUITS FORESTIERS

Définition

Le technicien en produits forestiers exécute, contrôle et dirige les travaux relatifs aux différentes étapes de la transformation primaire de la matière ligneuse: sciage, rabotage, façonnage des bois, déroulage, contre-plaqué, panneaux de particules et traitement des bois. Il assiste également les travailleurs scientifiques et les ingénieurs dans leurs travaux de recherche.

Compétences acquises

- Contrôler les quantités et la qualité de la matière première entrant à l'usine.
- Inspecter la matière première afin d'en déterminer toutes les caractéristiques (diamètre, longueur, réduction, etc.) et procéder à la sélection et au choix du mode de débitage.
- Proposer et agencer les équipements en fonction de la production désirée et de la matière première disponible.
- Établir le programme de production à court et long termes pour optimiser le rendement et répondre aux commandes.
- Diriger les opérations de séchage et de classification des produits.
- Procéder à des essais visant à déterminer l'utilisation la plus rentable de la matière première.
- Contrôler la qualité des produits de façon à s'assurer qu'ils répondent aux normes et aux exigences des clients.
- Organiser et diriger l'entreposage et la vente des produits finis.
- Planifier et appliquer le programme de santé et de sécurité au travail.

Qualités et aptitudes développées

- Sens de la planification • Jugement • Précision • Organisation

Postes occupés

- Technicien en produits forestiers
- Classeur
- Mesureur
- Responsable de l'approvisionnement
- Contremaître de production
- Contrôleur de qualité
- Représentant des ventes

Indicateur du placement 1988 à 1993

Sortants répondants se destinant à l'emploi: 47
Total des répondants en emploi: 40 85%

Salaire en 1993

Initial moyen: 15,90 $/heure
Initial supérieur: n.d. $/heure

Lieu de formation et de recrutement

Communiquez avec le cégep de Ste-Foy.

Définition

Le technologue en aménagement forestier est un spécialiste de l'application des différentes techniques relatives à l'aménagement de la forêt. Il assiste les scientifiques ainsi que les ingénieurs dans diverses tâches qui ont trait à la recherche, à la gestion, à la planification, à la conservation et à l'utilisation rationnelle des forêts. Il collabore à la mise en valeur des ressources forestières.

Compétences acquises

- Évaluer le personnel, faire des recommandations en matière de main-d'oeuvre, de techniques de travail, de tâches à accomplir et de programmes de formation.
- Organiser et diriger les inventaires relatifs aux caractéristiques biophysiques du territoire forestier (arbres, sols, drainage, etc.).
- Participer à l'élaboration et au suivi des plans d'aménagement du territoire forestier.
- Participer à la planification et à la supervision des opérations de traitements sylvicoles.
- Participer à la planification et à la supervision des opérations des récoltes des bois.
- Surveiller la présence d'insectes ravageurs ou de maladies.
- Organiser et contrôler les programmes de protection de l'environnement en milieu forestier.
- Donner des conseils techniques et faire de la vulgarisation.
- Contrôler l'application des programmes de santé et sécurité au travail.

Le technologue en aménagement forestier utilise différents outils, appareils ou instruments tels que: boussole, instruments d'arpentage, planimètre, compas forestier, sonde de Presler, sonde pédologique, stéréoscope à miroir, ordinateur, carnet électronique.

Qualités et aptitudes développées

- Sens de l'organisation • Planification • Jugement • Précision • Respect des normes

Postes occupés

- Technologue en aménagement forestier
- Technicien en sylviculture
- Spécialiste de la conservation de la forêt
- Technicien forestier

Indicateur du placement 1988 à 1993

Sortants répondants se destinant à l'emploi:	433	
Total des répondants en emploi:	370	85%

Salaire en 1993

Initial moyen: 11,00 $/heure
Initial supérieur: 15,00 $/heure

Lieux de formation et de recrutement

Communiquez avec les cégeps suivants:
Abitibi-Témiscamingue
Baie-Comeau
Chicoutimi
Gaspésie et des Îles
Rimouski
Ste-Foy

LES TECHNIQUES
PHYSIQUES

TECHNIQUES
DE CHIMIE ANALYTIQUE 210.01

Définition

Le technicien en chimie analytique effectue en laboratoire l'analyse de la composition chimique de différents produits. Il contrôle la qualité des matières premières, des produits et des rejets industriels. Il réalise la synthèse de divers produits pharmaceutiques, pétrochimiques, inorganiques et assiste le chimiste pour le développement des méthodes d'analyse et de nouveaux produits tant industriels que domestiques et alimentaires.

Compétences acquises
- Interpréter les instructions données par le chimiste.
- Préparer et faire des expériences, des essais, des analyses chimiques, mettre au point des méthodes de synthèse, d'analyse, de purification des composés organiques et inorganiques en appliquant diverses techniques.
- Appliquer les normes de sécurité dans la gestion des déchets toxiques.
- Rédiger des rapports d'analyse, présenter les résultats sous forme de tableaux et de graphiques réalisés à l'aide de l'ordinateur.
- Utiliser et entretenir l'équipement et appareillage de laboratoire, filtrer et diluer des liquides, préparer des solutions, des réactifs et des échantillons représentatifs.
- Échantillonner et analyser les contaminants chimiques selon les méthodes officielles.
- Offrir de l'assistance technique dans les laboratoires.
- Traiter les données expérimentales à l'aide d'ordinateurs, interpréter et évaluer la qualité des résultats obtenus.
- Gérer et utiliser les produits chimiques selon les normes de sécurité.

Le technicien en chimie analytique utilise ou manipule différents appareils ou instruments tels que: spectromètre infra-rouge, visible et ultra-violet, chromatographe en phase gazeuse et liquide, coulomètre, calorimètre, réfractomètre, tensiomètre, viscosimètre, microscope, spectromètre d'absorption atomique et d'émission, fluorimètre, polarographe, analyseur thermique, titreur, spectromètre de masse et de résonance magnétique nucléaire.

Qualités et aptitudes développées
- Minutie, dextérité et souci de la propreté • Sens de l'observation, esprit d'analyse et de synthèse • Esprit d'initiative, adaptation aux changements • Respect des protocoles expérimentaux • Patience et persévérance • Curiosité scientifique • Goût pour la recherche et le travail d'équipe • Capacité de déduction d'hypothèses logiques pour résoudre des problèmes de contrôle de la qualité • Sensibilité à la protection de la qualité du milieu de travail et de l'environnement

Postes occupés
- Technicien en chimie analytique
- Analyste en chimie
- Technicien en environnement
- Technicien dans les laboratoires de recherche et les institutions d'enseignement
- Représentant technique pour la vente de produits, d'équipements et de technologies

Indicateur du placement 1988 à 1993

Sortants répondants se destinant à l'emploi:	349	
Total des répondants en emploi:	324	93%

Salaire en 1993
Initial moyen: 12,00 $/heure
Initial supérieur: 15,80 $/heure

Lieux de formation et de recrutement
Communiquez avec les cégeps suivants:

Ahuntsic	Jonquière	Outaouais	Shawinigan
Dawson	Lévis-Lauzon	Rimouski	Valleyfield

Définition

Le technicien en génie chimique exécute des tâches reliées à la fabrication des produits dans le domaine de la pharmacie, de la métallurgie, de la pétrochimie et pour l'amélioration des procédés industriels. Il ajuste les paramètres des boucles de contrôle pour maintenir le bon déroulement des procédés et atteindre les normes de qualité de production. Il réalise des essais pour optimiser le rendement des processus impliqués dans la transformation.

Compétences acquises

- Préparer l'équipement, l'appareillage et les produits nécessaires aux essais, à la cueillette de données et à la production.
- Vérifier le fonctionnement de l'appareillage.
- Effectuer des tests pour vérifier la qualité des produits.
- Ajuster les paramètres de production pour rencontrer les cibles désirées.
- Entretenir les équipements de production, d'épuration, d'essai, d'échantillonnage et de mesure.
- Prélever des échantillons pour l'analyse.
- Rédiger des rapports techniques, présenter les résultats sous forme de tableaux, graphiques et schémas réalisés à l'aide de l'ordinateur.
- Calibrer des instruments de contrôle.
- Utiliser l'appareillage et les produits chimiques en respectant les normes de sécurité.

Le technicien en génie chimique effectue des essais sur les équipements tels que: système de filtration, colonne de distillation et d'extraction, évaporateur, séchoir, échangeur de chaleur, pompe, broyeur, tamis, réacteur, cellule de flottation, montage de contrôle et instrumentation. Il utilise les instruments suivants: manomètre, calorimètre, multimètre électronique, viscosimètre, microscope, titreur, spectrophotomètre, polarimètre, réfractomètre, moteur d'essai.

Qualités et aptitudes développées

- Inférence d'hypothèses logiques face à des problèmes de production • Esprit d'analyse et de déduction • Adaptation aux changements • Précision • Sens de l'observation • Habileté à schématiser

Postes occupés

- Technicien en génie chimique
- Technicien en génie pétrochimique
- Technicien en laboratoire
- Technicien en contrôle de la qualité
- Technicien de procédé
- Représentant technique pour la vente de produits, d'équipements et de technologies

Indicateur du placement 1988 à 1993

Sortants répondants se destinant à l'emploi:	70	
Total des répondants en emploi:	64	91%

Salaire en 1993

Initial moyen: 10,80 $/heure
Initial supérieur: 15,00 $/heure

Lieux de formation et de recrutement

Communiquez avec les cégeps suivants:
Jonquière
Lévis-Lauzon

Définition

Le technicien en chimie-biologie est spécialisé dans les secteurs qui touchent la santé et la vie. Il se consacre ainsi à l'analyse et au contrôle de la qualité dans l'industrie alimentaire et pharmaceutique, ainsi qu'à la recherche médicale et scientifique. Il est aussi appelé à travailler dans un domaine en pleine expansion, celui des biotechnologies et bio-industries.

Compétences acquises

- Analyser et contrôler, sous la direction de chimistes ou de biologistes, la qualité des matières premières et des produits dans l'industrie alimentaire et pharmaceutique, dans le domaine de la fermentation (bière, yogourt, fromage) et de l'environnement.
- Effectuer des expériences choisies par les chercheurs, mettre au point de nouvelles techniques et de nouveaux instruments.
- Procéder aux prélèvements: sang, organes d'animaux, micro-organismes.
- Cultiver et isoler différents types de micro-organismes: bactéries, algues, virus, moisissures.
- Identifier, classifier et assurer la conservation des échantillons biologiques.
- Dispenser les soins aux animaux de laboratoire et les manipuler lors des expériences.

Le technicien utilise ou manipule différents outils, appareils ou instruments tels que: micro-ordinateur, microscope, spectrophotomètre, ultracentrifugeuse, chromatographe, lyophilisateur, compteur de colonies, incubateur, pHmètre, appareil à électrophorèse, hotte à flux laminaire, PCR, fermenteur, etc.

Qualités et aptitudes développées

• Souci de précision • Esprit d'initiative • Minutie et dextérité • Sens de l'observation • Intérêt pour l'expérimentation • Esprit d'analyse et de synthèse • Capacité de concentration • Patience

Postes occupés

- Technicien en chimie-biologie
- Technicien en biologie
- Technicien en contrôle de la qualité
- Technicien en recherche et développement

Indicateur du placement 1988 à 1993

Sortants répondants se destinant à l'emploi:	204	
Total des répondants en emploi:	179	88%

Salaires en 1993

Initial moyen: 12,50 $/heure
Initial supérieur: 16,20 $/heure

Lieux de formation et de recrutement

Communiquez avec les cégeps suivants:
Ahuntsic
Lévis-Lauzon

TECHNIQUES DE PROCÉDÉS CHIMIQUES 210.04

Définition

Le technicien en procédés chimiques intervient à divers niveaux pour assurer la bonne marche d'une unité de production. Il s'assure que les équipements fonctionnent de façon sécuritaire, que toutes les mesures concernant la sécurité et la protection de l'environnement sont respectées, que les instruments de mesure et de régulation remplissent correctement leur fonction et que les produits sont conformes aux spécifications. Il a la compétence nécessaire pour répondre à des situations d'urgence en industrie et dans l'environnement.

Compétences acquises

- Assurer la mise en application des normes de santé et sécurité, ainsi que des mesures touchant la protection de l'environnement.
- Prendre des mesures et les interpréter, afin de vérifier le bon fonctionnement des instruments.
- Assurer l'exploitation sécuritaire et efficace des équipements statiques et rotatifs.
- Appliquer la chimie des procédés, de manière à assurer le respect des spécifications.
- Effectuer en laboratoire, les tests et les analyses de contrôle de la qualité des produits.
- Assurer le conditionnement et le contrôle de la qualité des eaux de procédés.
- Rédiger des procédures d'opération et des rapports techniques, incluant des tableaux et des graphiques.
- Communiquer les informations dans les conditions normales d'opération et lors des situations d'urgence.
- Exploiter les systèmes de commande à distance assurant le contrôle automatisé des procédés.
- En plus du DEC, le technicien en procédés chimiques bénéficie du certificat en santé et sécurité pour les chantiers de construction, de la certification DPI (Décision processus international) en résolution de problèmes et de la carte de compétence de mécanicien de machine fixe, classe 4 (sur simple réussite d'examen).

Le technicien sait lire des plans et des schémas, de même qu'à faire fonctionner plusieurs équipements industriels. Il manipule une grande variété d'appareils de mesure: ampèremètre, voltmètre, pH-mètre, conductimètre, réfractomètre, turbidimètre, oxymètre, pénétromètre, titrimètre Karl Fisher, points d'éclair Pensky Martens, Tag closed, tension de vapeur Reid, distilleur ASTM, viscosimètres Saybolt, Brookfield, Canon Fenske, spectrophotomètres visibles, TR, UV, AA, chromatographe en phase gazeuse.

Qualités et aptitudes développées

- Bon jugement • Sens des responsabilités • Apte à travailler sous pression • Excellentes perceptions visuelle, auditive et olfactive • Esprit d'analyse et de synthèse • Patience et persévérance • Sens du diagnostic

Postes occupés

- Technicien en procédés chimiques
- Technicien en contrôle de la qualité
- Technicien en chimie

Indicateur du placement 1988 à 1993

Sortants répondants se destinant à l'emploi:	n.d.
Total des répondants en emploi:	n.d.

Salaire en 1993

Initial moyen:	n.d. $/heure
Initial supérieur:	n.d. $/heure

Lieu de formation et de recrutement

Communiquez avec le cégep de Maisonneuve.

Définition

Le technologue en architecture travaille à toutes les étapes de la réalisation et de l'exploitation d'un projet de construction. Dans le domaine de la construction, il est familier avec la science du bâtiment et la connaissance des matériaux et dans le domaine du dessin, il peut produire des plans et des devis d'architecture. Le technologue intervient dans les travaux de conception, de planification, de construction, d'entretien, de rénovation et de recyclage d'un bâtiment.

Compétences acquises

- Avec l'aide de l'architecte, participer à l'élaboration des conceptions architecturales.
- Analyser les codes du bâtiment, les règlements municipaux, les exigences en matières d'espace et d'implantation.
- Participer aux calculs des coûts, à l'évaluation de la quantité des matériaux et du nombre d'employés.
- Préparer des contrats et des documents de soumission.
- Rédiger les spécifications relatives aux matériaux pour fin d'approbation.
- Tracer les dessins de présentation d'un projet d'après les esquisses de l'architecte.
- Effectuer les dessins d'exécution et décrire les matériaux.
- Construire des maquettes architecturales et des plan-masse de présentation.
- Surveiller, coordonner, contrôler et inspecter les travaux sur les chantiers.

Le technologue utilise différents outils et appareils tels que: matériel de dessin, logiciels de dessin D.A.O.

Qualités et aptitudes développées

- Aptitudes pour le dessin • Souci du détail • Facilité à percevoir en trois dimensions
- Esprit créateur et pratique • Dextérité • Capacité d'adaptation aux changements
- Souci de l'esthétique • Respect des échéanciers

Postes occupés

- Technologue en architecture
- Inspecteur en bâtiment
- Technologue en dessin assisté par ordinateur
- Contremaître de chantier
- Technologue en évaluation foncière

Indicateur du placement 1988 à 1993

Sortants répondants se destinant à l'emploi:	993	
Total des répondants en emploi:	881	89%

Salaire en 1993

Initial moyen:	9,40 $/heure
Initial supérieur:	13,40 $/heure

Lieux de formation et de recrutement

Communiquez avec les cégeps suivants:

André-Laurendeau
Chicoutimi
Lévis-Lauzon
Marie-Victorin
Montmorency
Rimouski
Saint-Laurent
Trois-Rivières
Vanier
Vieux Montréal

TECHNOLOGIE DU GÉNIE CIVIL 221.02

Définition
Le technologue en génie civil participe à la conception de projets de constructions diverses (bâtiments, ponts, routes, barrages). Il voit à la réalisation et à la surveillance des chantiers de construction.

Compétences acquises
- Utiliser des instruments d'arpentage, faire des relevés de terrains, des implantations, effectuer des calculs topométriques et la mise en plan.
- Prélever des échantillons de matériaux et de sols, exécuter des essais de contrôle de qualité, doser des mélanges de béton et de bitume, surveiller la mise en place.
- Concevoir des structures simples en bois, acier, béton, faire des calculs de résistance, dessiner des plans de construction.
- Concevoir des plans d'aménagement, urbanisme, lotissement, routes, rues, réseaux d'aqueduc, égout, gaz et dessiner ces plans.
- Planifier les étapes d'un projet de construction, en estimer les quantités et les coûts.
- Surveiller les travaux de construction et gérer un petit chantier.

Le technologue en génie civil utilise différents outils, appareils ou instruments tels que: appareils de laboratoire pour les essais sur les sols, les bétons, les bitumes, appareils d'arpentage (niveau, théodolite, station totale, outils informatiques avec les logiciels AutoCAD, Lotus, logiciels spécialisés d'arpentage, de structure, d'estimation, etc.)

Qualités et aptitudes développées
- Souci pour le travail de précision • Sens des responsabilités • Aptitudes pour le dessin • Travail d'équipe • Sens de l'initiative et de l'organisation • Dextérité • Leadership • Intérêt pour le travail en plein air • Capacité d'adaptation aux changements • Aptitudes pour les mathématiques et la physique

Postes occupés
- Technologue en génie civil
- Technicien en génie municipal
- Inspecteur en construction
- Technicien de chantier
- Estimateur-évaluateur

Indicateur du placement 1988 à 1993
Sortants répondants se destinant à l'emploi :	1152	
Total des répondants en emploi:	946	82%

Salaires en 1993
Initial moyen: 10,60 $/heure
Initial supérieur: 13,60 $/heure

Lieux de formation et de recrutement
Communiquez avec les cégeps suivants:

Abitibi-Témiscamingue	Limoilou
Ahuntsic	Montmorency
André-Laurendeau	Outaouais
Baie-Comeau	Rimouski
Beauce-Appalaches.	Shawinigan
Chicoutimi	Sherbrooke
Dawson	Trois-Rivières
Joliette-De Lanaudière	Vieux Montréal

TECHNOLOGIE DE LA MÉCANIQUE DU BÂTIMENT

Définition

Le technologue en mécanique du bâtiment connaît à fond tous les systèmes d'un bâtiment: chauffage, plomberie, réfrigération, ventilation, climatisation et régulation automatique. Il sait mettre en marche, analyser et ajuster ces systèmes. Il estime et évalue des projets.

Compétences acquises

• Analyser les besoins thermiques d'un bâtiment.
• Calculer les débits et rendements énergétiques.
• Faire la mise en plan et la rédaction des devis.
• Surveiller les travaux d'installation.
• Signaler les anomalies et faire des recommandations.
• À l'aide d'un ordinateur, dessiner ou modifier des plans.
• Rencontrer des clients et les renseigner.
• Inspecter les bâtiments et ses composants.

Le technologue utilise ou manipule différents appareils, outils et instruments tels que: tachymètre, anémomètre, hygromètre, débit-mètre, ordinateur, logiciel de DAO et de CAO.

Qualités et aptitudes développées

• Aptitudes pour l'application de sciences, la résolution de problèmes concrets et le dessin technique • Sens de l'observation et de l'organisation • Travail d'équipe et de collaboration • Capacité de communication • Sens des responsabilités • Minutie et exactitude

Postes occupés

• Technologue en mécanique du bâtiment
• Technologue en régulation
• Inspecteur en bâtiment
• Surintendant de bâtiment
• Estimateur
• Dessinateur en DAO, CAO

Indicateur du placement 1988 à 1993

Sortants répondants se destinant à l'emploi:	548	
Total des répondants en emploi:	481	88%

Salaire en 1993

Initial moyen: 9,70 $/heure
Initial supérieur: 13,30 $/heure

Lieux de formation et de recrutement

Communiquez avec les cégeps suivants:
Ahuntsic
Jonquière
Limoilou
Outaouais
Rimouski
Saint-Hyacinthe
Trois-Rivières
Vanier

TECHNOLOGIE DE L'ESTIMATION ET DE L'ÉVALUATION IMMOBILIÈRE   221.04

Définition

Le technologue en estimation et évaluation immobilière est un spécialiste en estimation des coûts de construction et en recherche de la valeur marchande des propriétés en collaboration avec l'évaluateur agréé.

Compétences acquises

En estimation:
- Analyser de façon détaillée un projet de construction à partir de plans et devis.
- Évaluer les quantités de matériaux, les coûts des matériaux, de la main-d'oeuvre et de la machinerie.
- Savoir fermer une soumission.
- Planifier les étapes de réalisation d'un chantier.
- Surveiller la bonne marche du chantier.

En évaluation:
- Effectuer des analyses de marché.
- Effectuer des relevés quantitatifs et qualitatifs lors de l'inspection de bâtiments.
- Calculer la dépréciation applicable au bâtiment et le coût de remplacement déprécié d'une bâtisse.
- Effectuer des recherches au bureau d'enregistrement, aux archives des ventes, consulter les baux et les évaluations.
- Savoir appliquer la technique de parité (terrain et bâtiment).
- Procéder à des analyses afin d'établir un multiplicateur du revenu brut.
- Calculer la valeur marchande d'un bâtiment.
- Rédiger des rapports d'évaluation.

Qualités et aptitudes développées

• Souci du détail • Souci de précision • Vision spatiale développée • Sens de l'observation • Bon esprit d'analyse

Postes occupés

- Technologue en estimation et en évaluation immobilière
- Technicien de l'évaluation foncière et immobilière
- Technicien en évaluation des coûts de construction
- Technicien inspecteur
- Estimateur

Indicateur du placement 1988 à 1993

Sortants répondants se destinant à l'emploi:	111	
Total des répondants en emploi:	96	86%

Salaire en 1993

Initial moyen: 9,90 $/heure
Initial supérieur: 13,00 $/heure

Lieux de formation et de recrutement

Communiquez avec les cégeps suivants:
Campus Notre-Dame-de-Foy
Collège André-Grasset
Drummondville
Montmorency

TECHNIQUES D'AMÉNAGEMENT DU TERRITOIRE 222.01

Définition

Le technologue en aménagement et urbanisme collabore et assiste le milieu professionnel dans toutes les démarches de planification, de gestion, de contrôle et d'opérations de projets d'aménagement, qu'ils soient de types résidentiels, commerciaux, récréatifs et autres qui composent le territoire. Sa formation le prépare adéquatement à intervenir dans le champ de l'inspection municipale.

Compétences acquises

- Organiser et réaliser des inventaires de types socio-économiques et biophysiques (environnementaux).
- Procéder à des relevés d'arpentage et travaux cartographiques variés.
- Participer à des travaux d'infrastructures et de voiries municipales (routes, rues, aqueducs, égouts).
- Soumettre des propositions d'aménagement de sites particuliers.
- Confectionner des plans à l'aide du dessin assisté par ordinateur(DAO).
- Collaborer à la confection et à la révision de schémas d'aménagement (MRC) et de plans d'urbanisme (PIIA, PAE, PPU).
- Appliquer et gérer les règlements et normes de compétences municipales, provinciales et fédérales.

Qualités et aptitudes développées

- Esprit d'analyse et de synthèse • Intérêt pour les problèmes de l'environnement • Souci du maintien et de l'amélioration de la qualité de vie en milieu urbain et régional • Sens des responsabilités • Aptitudes à utiliser des instruments de précision (mesure et dessin) • Travail d'équipe

Postes occupés

- Technologue en aménagement et en urbanisme
- Inspecteur municipal

Indicateur du placement 1988 à 1993

Sortants répondants se destinant à l'emploi.   102
Total des répondants en emploi: 79   77%

Salaire en 1993

Initial moyen: 14,30 $/heure
Initial supérieur 20,60 $/heure

Lieux de formation et de recrutement

Communiquez avec les cégeps suivants:
Jonquière
Matane
Rosemont

TECHNOLOGIE DE LA CARTOGRAPHIE 230.01

Définition

Le technologue en cartographie est un spécialiste qui conçoit, dessine et prépare des cartes, interprète des photographies aériennes, utilise de l'équipement de télédétection aéroporté, de l'équipement d'interprétation de l'image et des systèmes d'information géographique. Il réalise des documents cartographiques de base ou thématiques.

Compétences acquises

En cartographie
- Planifier le contenu, le format et la conception graphique des cartes et compiler les données nécessaires à partir des photographies aériennes, des notes d'arpentage, des rapports et d'autres cartes.
- Produire des cartes et des graphiques connexes en appliquant des techniques de cartographie numérique, d'infographie interactive, de préparation de plans avec des outils traceurs classiques ou informatisés.

En photogrammétrie
- Examiner et interpréter les photographies aériennes afin de préparer des cartes topographiques et des mosaïques.
- Utiliser du matériel de stéréorestitution analogique ou numérique afin de constituer des modèles du terrain en trois dimensions et tracer des stéréominutes.

En télédétection
- Utiliser du matériel analogique ou numérique d'interprétation d'images de télédétection afin de préparer des graphiques, des rapports et des cartes alphanumériques et générer au besoin des analyses d'images.
- Vérifier l'intégrité et l'exactitude des données traitées dans les systèmes d'analyse d'images.

En levés aériens
- Utiliser du matériel aéroporté de télédétection tel que des caméras aériennes, des détecteurs et des balayeurs d'ondes.
- Surveiller la qualité de l'enregistrement, ajuster l'équipement au besoin et vérifier la qualité des images recueillies.

En système d'information géographique (SIG)
- Utiliser du matériel informatique de gestion d'information afin de rédiger des rapports et de préparer des cartes.
- Effectuer la saisie et la mise à jour des données et effectuer l'entretien de base des systèmes.

Le technologue en cartographie utilise ou manipule différents outils et appareils tels que: ordinateur et logiciels d'application, matériel de dessin, stéréoscope, stéréorestituteur, coordinatographe, panthographe, matériel de télédétection.

Qualités et aptitudes développés
- Souci du détail et de la précision • Sens de l'observation • Bonne méthode de travail

Postes occupés
- Technologue en cartographie
- Technologue en photogrammétrie
- Technologue en télédétection
- Technologue en géomatique

Indicateur du placement 1988 à 1993

Sortants répondants se destinant à l'emploi:	160	
Total des répondants en emploi:	150	94%

Salaire en 1993
Initial moyen: 11,80 $/heure
Initial supérieur: 17,10 $/heure

Lieux de formation et de recrutement
Communiquez avec les cégeps suivants:
Limoilou
Outaouais

Définition

Le technologue en géodésie travaille dans le domaine de l'arpentage. C'est un spécialiste de la mesure et du traitement de données à des fins de délimitation foncière, de construction ou de gestion du territoire.

Compétences acquises

• Planifier, coordonner et superviser des levés topographiques au terrain.

• Manipuler des instruments conventionnels ou électroniques de mesure d'angles et de distances et consigner les observations obtenues.

• Effectuer les calculs nécessaires à l'établissement des coordonnés des points du levé et à la détermination des surfaces et des volumes.

• Représenter, sous forme graphique ou numérique, les données à référence spatiale et produire des plans à l'échelle.

• Interpréter le morcellement foncier, effectuer des recherches de titres, identifier les lois et les règlements applicables et analyser la situation d'un bien-fonds.

• Préparer les documents et les rapports relatifs aux opérations cadastrales et aux opérations d'arpentage légal.

• Participer à l'implantation de bâtiments, de routes ou autres constructions en assurant la localisation des ouvrages et en vérifiant la conformité du positionnement.

• Réaliser des levés géodésiques de tous ordres et participer au traitement des observations.

• Interpréter des photographies aériennes et utiliser du matériel de restitution stéréoscopique pour effectuer des mesures sur un modèle du terrain en trois dimensions.

• Utiliser un système d'information géographique, effectuer la saisie et la mise à jour des données.

Le technologue en géodésie utilise ou manipule différents outils ou appareils tels que: ordinateur et logiciels d'application, théodolite, télémètre, station totale, niveau, stéréoscope, stéréorestituteur.

Qualités et aptitudes développées

• Souci du détail et de la précision • Bonne méthode de travail • Rigueur de l'analyse • Esprit d'initiative • Capacité d'adaptation • Leadership et travail d'équipe

Postes occupés

• Technologue en géodésie
• Technologue en arpentage
• Technologue en géomatique

Indicateur du placement 1988 à 1993

Sortants répondants se destinant à l'emploi:	170	
Total des répondants en emploi:	152	89%

Salaire en 1993

Initial moyen:	10,00 $/heure
Initial supérieur	15,50 $/heure

Lieux de formation et de recrutement

Communiquez avec les cégeps suivants:
Ahuntsic
Limoilou

TRANSFORMATION DES PRODUITS DE LA MER 231.03

Définition

Le technicien en transformation des produits de la mer peut assumer des responsabilités de chef d'équipe, de contremaître, de superviseur, de classificateur, de contrôle de la qualité dans le domaine de la biochimie des produits marins, dans la transformation, la conservation, la commercialisation et le transport et la vente des produits de la mer.

Compétences acquises

- Inspecter le poisson et les produits de la pêche, contrôler les méthodes de manutention et de transformation du poisson.
- Établir des rapports et s'assurer que les règlements sont observés.
- Superviser le personnel.
- Contrôler la production en usine.
- Effectuer des analyses physiques, chimiques et bactériologiques des produits marins.
- Évaluer et classer les produits de diverses provenances.
- Conseiller les industriels en matière de traitement du poisson, d'assainissement des usines de traitement, de qualité des produits et des conditions d'enregistrement.
- Conseiller les clients.
- Opérer et entretenir des équipements industriels.

Le technicien en transformation des produits de la mer utilise ou manipule différents outils, appareils ou instruments tels que: balances, hygroscope, appareil Kjeldall, pH mètre, viscosimètre, fumoirs, séchoirs, emballeuses, sertisseuses, etc.

Qualités et aptitudes développées

• Respect et application des normes • Rigueur et objectivité • Souci de la qualité et de l'hygiène • Travail en groupe • Autonomie

Postes occupés

- Technicien en transformation des produits de la mer ou des eaux douces
- Technicien en contrôle de la qualité
- Inspecteur des produits d'origine aquatique
- Technicien en recherche et expérimentation

Indicateur du placement 1988 à 1993

Sortants répondants se destinant à l'emploi:	12	
Total des répondants en emploi:	10	83%

Salaire en 1993

Initial moyen:	n.d. $/heure
Initial supérieur:	n.d. $/heure

Lieu de formation et de recrutement

Communiquez avec le cégep de la Gaspésie et des Îles.

EXPLOITATION ET PRODUCTION DES RESSOURCES MARINES

Définition

En exploitation, le technicien des pêches utilise un bateau et conçoit, assemble, monte et utilise les divers engins de pêche et applique les procédés de conservation à bord des bateaux. En production, il planifie, organise, contrôle et entretient les systèmes d'élevage (mollusques, poissons, crustacés) et prépare le produit pour le marché.

Compétences acquises

En exploitation

- Concevoir, assembler, monter, réparer et utiliser divers engins de pêche.
- Faire le point à l'aide des appareils de navigation.
- Tracer une route.
- Appliquer les lois, les règlements, les normes régissant la sécurité des navires et les pêcheries.
- Voir à l'utilisation, l'entretien et à la réparation du navire et des équipements.
- Appliquer les procédés de conservation du poisson à bord des bateaux.
- Gérer un bateau.
- Identifier les espèces de poisson.
- Mesurer et caractériser les divers paramètres biologiques des organismes marins.

En production

- Déterminer le potentiel physique et biologique d'un site d'élevage.
- Concevoir et entretenir le système d'élevage.
- Élever et récolter les mollusques, les poissons, les crustacés et les algues.
- Enregistrer les données de l'environnement.
- Suivre l'état de santé des organismes d'élevage.
- Préparer le produit pour le marché et planifier les opérations.

Le technicien en exploitation et production des ressources marines utilise ou manipule différents outils, appareils et instruments tels que: instruments de navigation, matériel de pêche, filtres, pompes, appareils de mesure, etc.

Qualités et aptitudes développées

- Apte à diriger une équipe • Sens de l'organisation • Discipline • Bonne endurance
- Souci de l'hygiène

Postes occupés

- Technicien des pêches
- Agent des pêcheries
- Exploitant ou maître d'équipage d'un navire de pêche
- Technicien en recherche et en aquiculture
- Observateur en mer
- Exploitant en aquiculture
- Consultant en pêches
- Préposé à la conception, à la réparation et à l'assemblage des engins de pêche

Indicateur du placement 1988 à 1993

Sortants répondants se destinant à l'emploi:	5	
Total des répondants en emploi:	4	80%

Salaire en 1993

Initial moyen:	n.d. $/heure
Initial supérieur:	n.d. $/heure

Lieu de formation et de recrutement

Communiquez avec le cégep de la Gaspésie et des Îles.

Définition

Le technicien en pâtes et papiers s'occupe des différentes phases de la fabrication des pâtes, des papiers et des cartons. Il travaille à la production, au contrôle de la qualité, en recherche et développement, à la protection de l'environnement ou comme représentant des fournisseurs de l'industrie papetière.

Compétences acquises

- Effectuer des analyses physiques et chimiques des différents produits servant à la fabrication des pâtes.
- Fabriquer, à partir de matières premières diverses et par des traitements appropriés, des pâtes, des papiers et des cartons aux caractéristiques désirées.
- Recueillir, analyser et classer des données de production, dresser des diagrammes et tenir des registres de production.
- Prélever des échantillons de pâtes et effectuer les manipulations et mesures pour en déterminer la concentration et les autres caractéristiques importantes.
- Échantillonner et vérifier la qualité des papiers et cartons.
- Évaluer la qualité des fibres récupérées et désencrées comme matière première pour la fabrication des papiers et cartons.
- Calibrer les appareils de laboratoire et assurer leur entretien.
- Évaluer la teneur et les effets sur l'environnement des émissions gazeuses et des charges des effluents d'usines produisant les pâtes et papiers.

Le technicien en pâtes et papiers utilise ou manipule différents outils, appareils et instruments tels que: microscope, micromètre, déchiromètre, porosimètre, densimètre, oxymètre, conductimètre.

Il est de plus familier avec divers outils informatiques d'usages généraux et spécifiques aux pâtes et papiers.

Qualités et aptitudes développées

- Sens des responsabilités • Esprit d'initiative • Précision et minutie • Rigueur
- Capacité de faire rapidement divers calculs

Postes occupés

- Technicien en pâtes et papiers
- Technicien en contrôle de la qualité
- Surveillant technique
- Représentant technique
- Opérateur d'équipement de production

Indicateur du placement 1988 à 1993

Sortants répondants se destinant à l'emploi: 97
Total des répondants en emploi: 94   97%

Salaire en 1993

Initial moyen: 12,70 $/heure
Initial supérieur: 20,60 $/heure

Lieu de formation et de recrutement:

Communiquez avec le cégep de Trois-Rivières.

TECHNIQUES DU MEUBLE ET DU BOIS OUVRÉ

Définition

Le technicien en meuble et bois ouvré travaille dans l'industrie du meuble en série ou du meuble spécial (meuble à contrat). Sa formation lui permet aussi de travailler dans le domaine du bois ouvré: armoires, portes et fenêtres, cercueils, etc.

Compétences acquises

- Préparer la production sur équipement conventionnel et automatisé.
- Déterminer les opérations de fabrication.
- Concevoir les tableaux, les graphiques, les diagrammes qui servent à illustrer les cheminements et les manutentions de pièces, l'occupation des espaces et le temps d'utilisation des équipements de production.
- Répartir et coordonner le travail en fonction de la main-d'oeuvre et de la machinerie disponibles.
- Rendre les postes de travail fonctionnels et productifs.
- Interpréter les dessins et les fiches de production.
- Utiliser des logiciels de DAO et programmer des machines-outils à commande numérique.
- Tracer des croquis de meuble.
- Surveiller les étapes de fabrication.

Qualités et aptitudes développées

- Esprit créateur • Sens de l'organisation • Leadership • Discipline

Postes occupés

- Technicien en meuble et bois ouvré
- Gérant de production
- Programmeur de machines à commande numérique
- Dessinateur
- Estimateur
- Gestionnaire de production
- Gérant de production

Indicateur du placement 1988 à 1993

Sortants répondants se destinant à l'emploi:	77	
Total des répondants en emploi:	70	91%

Salaire en 1993

Initial moyen: 9,00 $/heure
Initial supérieur: 9,30 $/heure

Lieu de formation et de recrutement

Communiquez avec l'École québécoise du meuble et du bois ouvré (cégep de Victoriaville).

TECHNOLOGIE DU GÉNIE INDUSTRIEL 235.01

Définition

Le technologue en génie industriel est un spécialiste en conception, en implantation et en amélioration des procédés de production dans les entreprises. Sa responsabilité est d'accroître la productivité et l'efficacité de tout système de production de biens ou de services.

Compétences acquises

- Améliorer les méthodes de travail et participer à l'implantation de ces améliorations dans l'entreprise.
- Organiser l'aménagement, la manutention et la circulation à l'intérieur de l'entreprise.
- Mesurer les temps d'opération, établir des standards, planifier le calendrier de production et équilibrer les charges de travail.
- Étudier la rentabilité des projets et collaborer à l'établissement de budgets d'opération.
- Mettre en place des plans de contrôle de la qualité des produits et vérifier la qualité de fabrication.
- Établir des politiques d'entretien de l'équipement et participer aux programmes de santé et de sécurité au travail.
- Gérer des stocks à partir de critères économiques et sécuritaires.

Qualités et aptitudes développées

• Sens de l'organisation • Esprit d'initiative et autonomie • Leadership • Facilité en communication écrite et orale • Esprit d'observation • Sens critique

Poste occupé

•Technologue en génie industriel

Indicateur du placement 1988 à 1993

Sortants répondants se destinant à l'emploi: n.d.
Total des répondants en emploi: n.d.

Salaire en 1993

Initial moyen: n.d. $/heure
Initial supérieur: n.d. $/heure

Lieux de formation et de recrutement

Communiquez avec les cégeps suivants:
Ahuntsic
Jonquière
La Pocatière
Limoilou
Lionel-Groulx
Trois-Rivières
Valleyfield

TECHNIQUES DE PRODUCTION 235.02

Définition
Le technicien en techniques de production est un généraliste polyvalent capable de prendre en charge un département de production, une unité cellulaire de production ou un ensemble de postes de travail. Il intervient autant en gestion, en organisation qu'en technique.

Compétences acquises
- Participer à la planification et à l'organisation d'un département de production manufacturière.
- Participer à l'implantation de procédés, de techniques, d'équipements et de technologies nouvelles.
- Travailler à la supervision, à la régulation et à l'optimisation de la production.
- Gérer et animer une équipe de production.
- Analyser et résoudre des problèmes autant humains et interpersonnels que techniques et technologiques.
- Participer à la conception et à l'application de programmes tels que:
  - La santé et la sécurité au travail
  - L'entretien préventif des systèmes
  - L'amélioration continue de la qualité

Qualités et aptitudes développées
- Goût pour les sciences appliquées • Leadership et capacité de travailler en équipe • Esprit d'observation et d'analyse • Sens de l'organisation, esprit d'initiative et autonomie • Intérêt pour l'innovation technologique et les nouveaux matériaux et procédés industriels

Postes occupés
- Technicien en production
- Technicien coordonnateur de production

Indicateur du placement 1988 à 1993
Sortants répondants se destinant à l'emploi: n.d.
Total des répondants en emploi: n.d.

Salaire en 1993
Initial moyen: n.d. $/heure
Initial supérieur: n.d. $/heure

Lieux de formation et de recrutement
Communiquez avec les cégeps suivants:
Beauce-Appalaches
Granby Haute-Yamaska

TECHNIQUES D'ANALYSE D'ENTRETIEN 241.05

Définition
Le technicien en analyse d'entretien est un spécialiste d'équipements industriels à la fine pointe de la technologie, capable de diminuer les coûts d'entretien et d'exploitation et d'assurer la continuité de la production.

Compétences acquises
- Planifier, implanter et organiser des systèmes d'entretien.
- Maîtriser les informations contenues dans les plans et les manuels d'entretien des fabricants.
- Modifier et améliorer les appareils électromécaniques ou les systèmes de production.
- Vérifier le fonctionnement des instruments et des systèmes à l'aide de dispositifs d'essai appropriés afin de déceler les anomalies.
- Déterminer et utiliser le type approprié d'instruments de mesure ou de contrôle (débit, pression, température, etc.) afin de vérifier différents paramètres de fonctionnement ou la condition d'un équipement.
- Réparer et régler les composants des systèmes ou enlever et remplacer les pièces défectueuses.
- Analyser les causes des pannes et proposer des solutions.
- Tenir à jour les dossiers relatifs à la maintenance.

Qualités et aptitudes développées
• Souci du travail de précision • Sens de l'observation et de l'organisation • Esprit d'initiative • Sens pratique de la recherche de solution • Bon jugement

Postes occupés
- Technicien en analyse d'entretien
- Technicien en entretien de systèmes industriels
- Technicien en hydraulique
- Technicien en électromécanique
- Technicien en contrôle de la qualité
- Technicien en mécanique industrielle

Indicateur du placement 1988 à 1993
Sortants répondants se destinant à l'emploi: 296
Total des répondants en emploi: 263 89%

Salaire en 1993
Initial moyen: 11,70 $/heure
Initial supérieur: 16,40 $/heure

Lieux de formation et de recrutement
Communiquez avec les cégeps suivants:
Abitibi-Témiscamingue
de la Gaspésie et des Îles
Lévis-Lauzon
Rimouski
Trois-Rivières
Vieux Montréal

Définition

Le technicien en génie mécanique exécute différentes tâches reliées à la transformation des matériaux en produits finis par des moyens mécaniques (électromécanique, pneumatique, hydraulique).

Compétences acquises

En dessin de conception mécanique:
- Concevoir, calculer, analyser et produire des dessins d'ensemble et de détails par des méthodes de dessin traditionnel ou en utilisant l'ordinateur (CAO).
- Produire des dessins et des programmes d'usinage à l'aide d'un ordinateur.

En fabrication mécanique:
- Préparer les programmes de mise en production sur des machines traditionnelles automatisées et à commande numérique (FAO).
- Planifier et préparer l'ordonnancement d'une fabrication mécanique.
- Coordonner le personnel, le matériel et l'équipement.
- Établir les temps des opérations de fabrication.
- Fabriquer des prototypes.
- Préparer les gammes d'usinage nécessaires à la fabrication de série de pièces.
- Vérifier la qualité des produits manufacturés.
- Programmer et implanter des automates programmables, des robots et des machines dédiées.

Qualités et aptitudes développées

- Esprit d'analyse et de synthèse • Dextérité manuelle • Sens pratique • Souci du détail et de la précision • Facilité d'adaptation aux changements • Aptitudes pour le dessin technique • Esprit à la fois créatif et scientifique

Postes occupés

- Technicien en génie mécanique
- Technicien en fabrication mécanique
- Technicien en conception assistée par ordinateur
- Technicien en robotique
- Technicien d'assemblage
- Programmeur de machines industrielles et à commande numérique
- Dessinateur-concepteur
- Dessinateur d'outillage de production (poinçon et matrice)
- Technicien en contrôle de la qualité

Indicateur du placement 1988 à 1993

Sortants répondants se destinant à l'emploi:	1 309	
Total des répondants en emploi:	1 150	00%

Salaire en 1993

Initial moyen: 11,50 $/heure
Initial supérieur: 15,30 $/heure

Lieux de formation et de recrutement

Communiquez avec les cégeps suivants:

Dawson	Région de l'Amiante	Sherbrooke
de la Gaspésie et des Îles	Rimouski	Sorel-Tracy
Jonquière	Saint-Jean-sur- Richelieu	Trois-Rivières
Lévis-Lauzon	Saint-Jérôme	Valleyfield
Limoilou	Saint-Laurent	Vieux Montréal
Outaouais	Shawinigan	

Définition

Le technicien en transformation des matériaux composites voit à la fabrication et à la conception technique de divers produits ou articles de consommation courante fabriqués avec un matériau composé principalement de fibres et d'une matrice. Il est à l'aise dans différents secteurs comme: la conception et le design, la fabrication, le contrôle de la qualité, ainsi qu'au marketing et au service des achats.

Compétences acquises

- Veiller aux choix des résines, des fibres ainsi que des méthodes d'assemblage et des procédés de fabrication.
- Définir la forme géométrique, les dimensions et calculer les épaisseurs des pièces.
- Déterminer en pré-production, les matières premières, leurs proportions respectives et les paramètres de production dans le but d'optimiser les propriétés recherchées tout en minimisant les coûts.
- Procéder à l'évaluation des procédés de fabrication existants et des performances anticipées.
- Concevoir le moule en regard du système de chauffe ou de refroidissement, de la finition de surface, du système d'éjecteur, de la résistance mécanique, des composantes rétractables et des techniques de chargement.
- Inspecter et approuver le moule avant l'utilisation en production.
- Assurer la supervision de l'équipe de fabrication et coordonner l'installation et la mise au point de la méthode de moulage.
- Faire les vérifications dimensionnelles.
- Vérifier et inspecter les matériaux en utilisant des appareils de contrôle et d'essai et évaluer les performances selon les normes et les codes.
- Établir les normes de qualité et les méthodes de vérification.
- Monter et entretenir l'équipement de laboratoire de contrôle et d'essai.
- Procéder à l'évaluation technique des plans et devis.
- Évaluer les coûts de production et les délais de livraison.
- Planifier la production.
- Concevoir de nouveaux produits.
- Démarrer la production de nouveaux produits.
- Informer le personnel des nouveaux produits ou des nouvelles techniques de fabrication.
- Établir le prix de revient d'un produit.

Le technicien en transformation des matériaux composites utilise ou manipule différents appareils, instruments ou produits tels que: fibres, résines, métaux, matrices, moules, machines à contrôle numérique, robot industriel, four, presse, machine à injection, micromètre.

Qualités et aptitudes développées

• Sens de l'observation • Esprit d'analyse • Minutie • Perfectionnisme • Esprit innovateur et créatif

Postes occupés

- Technicien en transformation des matériaux composites
- Coordonnateur de la production
- Représentant technique (vente)

Indicateur du placement 1988 à 1993

Sortants répondants se destinant à l'emploi:	40	
Total des répondants en emploi:	27	68%

Salaire en 1993

Initial moyen: 10,00 $/heure
Initial supérieur: 14,00 $/heure

Lieu de formation et de recrutement

Communiquez avec le cégep de Saint-Jérôme.

TECHNIQUES DE TRANSFORMATION DES MATIÈRES PLASTIQUES 241.12

Définition
Le technicien en transformation des matières plastiques voit à la production industrielle et à la conception d'objets en plastique.

Compétences acquises

En production:
- Planifier la production: plans et devis, choix des types de plastiques, facteurs techniques de production, détermination des coûts, ordre des opérations.
- Superviser une équipe de travail.
- Analyser les problèmes reliés à la chaîne de production.
- Optimiser la production.
- Entretenir l'équipement.

En contrôle de la qualité:
- Établir les normes de qualité et les procédures de contrôle.
- Contrôler la qualité des produits et les résines plastiques selon les spécifications.
- Inspecter les échantillons pour y déceler les anomalies.
- Évaluer les résultats des contrôles, compiler les données, les traduire en rapports et graphiques.

Aux bureaux d'études:
- Concevoir des moules et outillages simples pour produire des objets en plastique.
- Choisir le matériau de mise en oeuvre et formuler les mélanges.
- Établir les normes de contrôle de qualité.
- Participer à l'étude de nouvelles matières premières et de nouvelles technologies.
- Utiliser les logiciels de D.A.O.

Le technicien en transformation des matières plastiques utilise ou manipule les appareils ou instruments tels que: presse à injecter, presse à thermoformer, presse de compression, extrudeuses pour produire des profilés simples, des films, des contenants soufflés.

Qualités et aptitudes développées
- Sens de l'organisation • Aptitudes pour le dessin de précision • Rapidité et efficacité dans l'exécution d'un travail • Sens du pratique et du concret • Facilité d'adaptation au changement • Connaissance de base de la terminologie anglaise utilisée dans ce domaine

Postes occupés
- Technicien en transformation des matières plastiques
- Technicien à la fabrication des matières plastiques
- Contrôleur de la qualité des produits de plastique
- Dessinateur de moules
- Technicien d'entretien d'équipements de transformation des matières plastiques
- Contremaître dans une usine de transformation de matières plastiques

Indicateur du placement 1988 à 1993
Sortants répondants se destinant à l'emploi:	123	
Total des répondants en emploi:	117	95%

Salaire en 1993
Initial moyen: 11,50 $/heure
Initial supérieur: 12,80 $/heure

Lieux de formation et de recrutement
Communiquez avec les cégeps suivants:
Ahuntsic
Région de l'Amiante

ÉLECTRODYNAMIQUE 243.01

Définition
Le technicien en électrodynamique travaille dans le domaine de la production de l'électricité, de son transport, de sa distribution et de son utilisation dans les secteurs résidentiel, commercial et industriel. Il participe à la conception, répare et entretient des installations électriques et électroniques particulièrement des automatismes.

Compétences acquises
- Contrôler la qualité, étalonner et régler les appareils et les systèmes de production, de transmission et de distribution d'électricité.
- Assembler, installer, entretenir et réparer les appareils et les systèmes de production, de transmission et de distribution d'électricité.
- Participer à la planification, à l'estimation et à la gestion des travaux.
- Lire, interpréter, adapter et élaborer les plans, les dessins et les spécifications techniques d'un projet d'automatismes industriels ou d'installations électriques.
- Collaborer à l'automatisation des entreprises en automatismes industriels séquentiels et en boucle fermée.
- Participer à l'élaboration et à la réalisation de projets de réseaux.
- Vérifier les travaux et signifier les modifications techniques requises.
- Conseiller les clients sur l'achat ou la location de matériels et d'équipements électriques.

Qualités et aptitudes développées
- Esprit scientifique et technologique • Minutie • Précision • Sens de l'observation
- Capacité de concentration

Postes occupés
- Technicien en électrodynamique
- Technicien en génie électrique
- Technicien d'installation et de service

Indicateur du placement 1988 à 1993
Sortants répondants se destinant à l'emploi: 1 148
Total des répondants en emploi: 962   84%

Salaire en 1993
Initial moyen: 11,20 $/heure
Initial supérieur: 14,60 $/heure

Lieux de formation et de recrutement
Communiquez avec les cégeps suivants:
Lévis-Lauzon
Montmorency
Rimouski
Saint-Jérôme
Sept-Îles
Valleyfield
Vieux Montréal

Définition

Le technicien en instrumentation et contrôle associe les circuits électroniques aux éléments mécaniques. Il participe à la conception, répare, installe, entretient des instruments de mesure servant à valider la qualité et à quantifier les produits. Il participe à la conception, répare, installe et entretient des appareils de contrôle servant à maintenir les paramètres de la production à l'intérieur des normes requises.

Compétences acquises

• Participer à la conception de dessin et à l'élaboration de solution, d'automation et de régulation avec des appareils de contrôle de diverses technologies.

• Superviser le montage, régler et réparer les appareils de contrôle dans un procédé industriel (température, pression, débit, niveau, densité, poids, viscosité).

• Utiliser un micro-ordinateur afin d'élaborer une stratégie de commande de procédé.

• Participer à l'estimation, la planification et la gestion des travaux d'automatisation et à la rédaction des cahiers de charges.

• Assurer la représentation technique et le service à la clientèle.

Le technicien en instrumentation et contrôle utilise ou manipule les appareils ou instruments tels que: voltmètre, oscilloscope, ohmmètre, compteur de fréquence, synthétiseur de signal, ordinateur, instrument de mesure industriel, régulateur, calibrateur.

Qualités et aptitudes développées

• Sens de l'observation • Souci du détail et de la précision • Travail d'équipe • Patience • Approche globale d'un problème • Esprit scientifique et technologique

Postes occupés

• Technicien en instrumentation et contrôle
• Technicien en instrumentation industrielle
• Technicien en génie électronique ou électrique

Indicateur du placement 1988 à 1993

Sortants répondants se destinant à l'emploi:	582	
Total des répondants en emploi:	500	86%

Salaire en 1993

Initial moyen: 11,40 $/heure
Initial supérieur: 15,40 $/heure

Lieux de formation et de recrutement

Communiquez avec les suivants:

Lévis-Lauzon
Matane
Sorel-Tracy
Vanier
Vieux Montréal

Définition

Le technicien en électronique conçoit, shématise et entretient des systèmes d'instruments de micro-ondes et d'ordinateurs, des systèmes asservis et des systèmes électroniques variés utilisés en recherche, en automation, en électronique industrielle ou médicale, en télécommunications et dans les commandes automatiques.

Compétences acquises

- Faire l'installation, l'entretien et la réparation d'appareils et de systèmes électroniques.
- Collaborer à la recherche, à la conception et à la réalisation de projets dans les domaines des ordinateurs, des télécommunications et des automatismes.
- Construire des prototypes de circuits et procéder à leurs essais.
- Contrôler des montages d'appareils, d'instruments et de dispositifs électroniques reliés à des systèmes d'ordinateurs ou de télécommunications.
- Résoudre les problèmes d'application et d'adaptation que posent l'expérimentation et la mise en oeuvre des techniques et des méthodes de fabrication.
- Faire les plans et devis afin de planifier et coordonner la fabrication, l'installation et l'entretien de circuits électroniques.
- Collaborer à la rédaction de cahiers de charge.
- Vérifier la qualité des équipements électroniques.
- Faire l'installation et le service après-vente.

Le technicien en électronique utilise ou manipule les appareils ou instruments suivants: voltmètre, oscilloscope, ohmmètre, compteur de fréquence, synthétiseur de signal, ordinateur.

Qualités et aptitudes développées

• Bonne capacité d'observation • Esprit inventif, minutieux et méthodique • Esprit d'analyse et de synthèse • Goût du travail bien fait • Travail en équipe • Esprit scientifique et technologique

Postes occupés

- Technicien en électronique
- Électrotechnicien
- Technicien en ordinateur
- Technicien en télécommunications
- Technicien en génie électronique

Indicateur du placement 1988 à 1993

Sortants répondants se destinant à l'emploi:	1901	
Total des répondants en emploi:	1699	89%

Salaire en 1993

Initial moyen: 10,10 $/heure
Initial supérieur: 13,50 $/heure

Lieux de formation et de recrutement

Communiquez avec les cégeps suivants:

Dawson	Joliette-de-Lanaudière	Rivière-du-Loup
Drummondville	Montmorency	Saint-Jean-sur-Richelieu
Héritage	Rimouski	Vieux Montréal

ÉQUIPEMENTS AUDIOVISUELS

Définition
Le technicien en équipements audiovisuels utilise et entretient les appareils audiovisuels. Il identifie et répare les pannes dans les appareils audio, vidéo, récepteurs de télévision, magnétoscopes, etc. Il effectue les ajustements nécessaires au bon fonctionnement et réalise des documents audiovisuels de toutes sortes.

Compétences acquises
- Installer, entretenir et réparer le matériel électronique tel que téléviseur, radio, magnétoscope, appareil stéréophonique, photocopieur, ordinateur et périphérique.
- Inspecter et tester le matériel électronique à l'aide de différents appareils et équipements électroniques de mesure.
- Diagnostiquer les pannes et localiser le circuit, le composant ou le matériel défectueux.
- Régler, aligner, remplacer ou réparer le matériel électronique, les ensembles ou les composants électroniques à l'aide de manuels ou de shémas.
- Remplir les bordereaux de travail et les rapports d'essai et d'entretien.
- Superviser au besoin d'autres techniciens du service d'entretien et de réparation.
- Effectuer divers travaux tels que le découpage technique, les prises de vue, les prises de son, l'éclairage, le montage, l'enregistrement, le lettrage.
- Effectuer les transcriptions et reproductions des documents vidéo.

Le technicien en équipements audiovisuels utilise ou manipule les appareils ou instruments tels que: fer à souder, multimètres, vérificateurs de circuits, oscilloscopes, sondes logiques, caméras, magnétoscopes, microphones, amplificateurs.

Qualités et aptitudes développées
- Souci du détail • Minutie et dextérité manuelle • Précision • Facilité à résoudre les problèmes et les pannes • Sens artistique

Postes occupés
- Technicien en équipements audiovisuels
- Technicien de service et de production
- Technicien de plateau et de studio
- Technicien en réparation
- Monteur vidéo

Indicateur du placement 1988 à 1993
Sortants répondants se destinant à l'emploi: 131
Total des répondants en emploi: 109   83%

Salaire en 1993
Initial moyen: 8,70 $/heure
Initial supérieur: 9,10 $/heure

Lieu de formation et de recrutement
Communiquez avec le cégep du Vieux Montréal

TECHNOLOGIE DE L'ÉLECTRONIQUE INDUSTRIELLE 243.06

Définition

Le technologue en électronique industrielle connaît les principaux instruments et appareils de commande et d'automatisation industrielles. Il est spécialiste soit en électrodynamique (production, transport, distribution et contrôle de l'énergie électrique), soit en instrumentation et automatisation (automatisation des procédés industriels).

Compétences acquises

- Faire l'assemblage de divers appareils
- Vérifier le fonctionnement des instruments et appareils utilisés en commande et automatisation des procédés industriels, et en faire l'étalonnage, le réglage et la programmation
- Dessiner des shémas selon les normes
- Modifier et participer à la conception des systèmes destinés à l'automatisation

En électrodynamique:
- Installer, réparer, dépanner et entretenir de façon sécuritaire des systèmes et des équipements industriels servant à la production, au transport, à la distribution et au contrôle de l'énergie électrique et à sa conservation en force motrice
- Effectuer le montage de circuits imprimés

En instrumentation et automatisation
- Installer, dépanner, réparer et entretenir de façon sécuritaire des systèmes et des équipements industriels de type électronique, pneumatique, hydraulique ou électromécanique servant à la mesure, à la commande et à l'automatisation de procédés industriels

Qualités et aptitudes développés

• Sens de l'observation • Travail d'équipe • Aptitude pour le dessin • Bonne faculté de mémorisation • Sens de l'organisation • Dextérité manuelle

Postes occupés

- Technologue en électronique industrielle
- Technologue en électrodynamique
- Technologue en instrumentation et automatisation
- Superviseur de procédé en instrumentation

Indicateur du placement 1988 à 1993

Sortants répondants se destinant à l'emploi:	n.d.
Total des répondants en emploi:	n.d.

Salaire en 1993

Initial moyen:	n.d. \$/heure
Initial supérieur:	n.d. \$/heure

Lieux de formation et de recrutement

Communiquez avec les cégeps suivants:

En électrodynamique	*En instrumentation et automatisation*
Abitibi-Témiscamingue	Abitibi-Témiscamingue
Ahuntsic	Ahuntsic
André-Laurendeau	André-Laurendeau
Chicoutimi	Chicoutimi
Jonquière	de la Gaspésie et des Îles
Limoilou	Granby Haute-Yamaska
Outaouais	Région de l'Amiante
Sherbrooke	Institut Teccart
Trois-Rivières	Jonquière
	Trois-Rivières

TECHNOLOGIE DE L'ÉLECTRONIQUE

Définition

Le technologue en électronique installe, dépanne, répare et entretient divers systèmes et équipements électroniques. Il est spécialisé en une ou l'autre des options suivantes: ORDINATEUR (Configuration, intégration, diagnostic), TÉLÉCOMMUNICATION (Installation, entretien, réparation et utilisation) et AUDIOVISUEL (Installation, ajustement, réparation, maintenance)

Compétences acquises

- Installer, dépanner, réparer et entretenir des systèmes et des équipements électroniques divers.
- Dessiner des shémas, construire des prototypes de systèmes destinés à la manipulation de signaux électroniques et en faire la mise au point.
- Maîtriser diverses techniques industrielles comme le soudage, le découpage, le pliage.

En ordinateur:
- Configurer des systèmes d'ordinateurs et en réaliser l'intégration matérielle et logicielle.
- Diagnostiquer un mauvais fonctionnement lié à une défaillance du logiciel ou du matériel et y remédier par une réparation efficace.

En télécommunication:
- Installer, entretenir, et modifier l'appareillage électronique servant au transport, au conditionnement ou à la conversion des signaux analogiques ou numériques utilisés dans le domaine des communications.
- Diagnostiquer et dépanner les systèmes de télécommunication à hautes fréquences.
- Utiliser les techniques de mesure et de dépannage en R.F. ainsi que les antennes et les filtrations.

En audiovisuel:
- Installer, ajuster, réparer et maintenir les équipements et les systèmes audiovisuels.
- Fournir une assistance technique.
- Renseigner les utilisateurs sur le fonctionnement.

Le technologue en électronique utilise ou manipule les appareils ou instruments suivants: Voltmètre, oscilloscope, ohmmètre, compteur de fréquence, synthétiseur de signal.

Qualités et aptitudes développés

• Esprit analytique • Travail d'équipe • Intérêt pour les innovations technologiques • Dextérité manuelle • Précision et minutle

Postes occupés

- Technologue en électronique
- Technologue en génie électronique
- Technologue en ordinateur
- Technologue en télécommunication
- Technologue en audiovisuel

Indicateur du placement 1988 à 1993

Sortants répondants se destinant à l'emploi:	n.d.
Total des répondants en emploi:	n.d.

Salaire en 1993

Initial moyen:	n.d. $/heure
Initial supérieur:	n.d. $/heure

Lieux de formation et de recrutement

Communiquez avec les cégeps suivants:

Ordinateur	Saint-Laurent	de la Gaspésie	Outaouais
Ahuntsic	Shawinigan	et des Îles	Sherbrooke
Baie-Comeau	Trois-Rivières	Jonquière	Teccart
Édouard-Montpetit	Victoriaville	Limoilou	Trois-Rivières
Jonquière	*Télécommunication*	Lionel-Groulx	*Audiovisuel*
Lionel-Groulx	Chicoutimi	Maisonneuve	Limoilou
Maisonneuve			

TECHNOLOGIE PHYSIQUE   243.14 ou 244.01

Définition
Le technologue en technologie physique est un spécialiste de l'instrumentation de haute technologie issue de la physique appliquée et de l'électronique. Il assiste les ingénieurs ou les chercheurs dans les services de recherche et de développement dans l'entreprise privée, dans les laboratoires publics ou parapublics ou dans les maisons d'enseignement. Sa spécialisation en physique appliquée et son orientation technologique polyvalente lui ouvrent aussi l'accès à l'instrumentation médicale et aux P.M.E.

Compétences acquises
- Élaborer et appliquer des procédures de diagnostic et de réparation d'instrumentation sophistiquée comprenant des parties physiques, électroniques, optiques ou informatiques.
- Concevoir et réaliser des montages expérimentaux.
- Effectuer la maintenance et la gestion d'un laboratoire industriel ou de recherche.

à La Pocatière:
- Élaborer et appliquer des procédures de montage, fonctionnement et entretien/dépannage dans les systèmes à vide, des systèmes utilisant de l'acoustique, de l'optique physique, de l'holographie, des lasers, des fibres optiques, diverses sortes de rayonnements et des systèmes utilisés pour l'étude des matériaux.

à André-Laurendeau:
- Mettre en oeuvre une acquisition de données grâce à un langage évolué.
- Développer un appareil de physique appliquée piloté par un microprocesseur dédié.
- Appliquer des procédures de montage, fonctionnement et entretien/dépannage en acoustique, dans des systèmes optoélectroniques, de caractérisation de matériaux et utilisant divers rayonnements.

à John Abbott:
- Analyser et comparer différents types de sources d'énergie (électricité, gaz naturel, mazout, énergie nucléaire, etc.).
- Calculer des débits et rendements énergétiques.

Qualités et aptitudes développées
- Esprit et curiosité scientifique • Sens de l'observation • Débrouillardise • Dextérité manuelle

Postes occupés
- Technologue en technologie physique
- Technologue de laboratoire de physique
- Technologue en instrumentation
- Technologue spécialisé en énergie

Indicateur du placement 1988 à 1993
Sortants répondants se destinant à l'emploi: 133
Total des répondants en emploi: 118   89%

Salaire en 1993
Initial moyen: 12,50 $/heure
Initial supérieur: 15,50 $/heure

Lieux de formation et de recrutement
Communiquez avec les cégeps suivants:
244.01 John-Abbott
243.14 André-Laurendeau
        La Pocatière

TECHNOLOGIE DES SYSTÈMES ORDINÉS
243.15 ou 247.01

Définition

Le technologue en systèmes ordinés effectue la programmation et l'assemblage de circuits et modules d'ordinateur. Il est familier avec l'électronique analogique et numérique, les périphériques des ordinateurs, les logiciels à usages spécifiques et la programmation en temps réel.

Compétences acquises

- Agencer et configurer les différentes parties d'un système ordiné autant du point de vue logiciel que matériel.
- Développer des programmes informatiques.
- Installer, entretenir, réparer et modifier des systèmes informatisés, des équipements électroniques et du matériel connexe à base de microprocesseur.
- Dessiner les plans nécessaires à la réalisation des systèmes électroniques ordinés.
- Procéder à l'essai et à la mise au point de prototype.
- Vérifier et essayer les pièces et modules sur la chaîne de montage avant l'expédition et après l'installation.
- Localiser les défectuosités, réparer ou remplacer les modules.
- Manipuler les machines à commandes numériques et s'assurer que les liens de communication avec le système CAO et FAO fonctionnent adéquatement.
- Suggérer le développement d'outils de productivité pour les utilisateurs.

Qualités et aptitudes développées

- Sens des responsabilités • Esprit d'équipe • Sens de la précision • Capacité d'abstraction • Sens des relations spatiales • Patience • Esprit de synthèse

Postes occupés

- Technologue en systèmes ordinés
- Technologue en recherche et développement
- Technologue de logiciel et de matériel
- Programmeur d'équipements industriels
- Technologue en réparation CAO et FAO
- Spécialiste en matériel informatique

Indicateur du placement 1988 à 1993

Sortants répondants se destinant à l'emploi: 525
Total des répondants en emploi: 493 94%

Salaire en 1993

Initial moyen: 10,20 $/heure
Initial supérieur: 13,20 $/heure

Lieux de formation et de recrutement

Communiquez avec les cégeps suivants:
243.15 Limoilou
        Lionel-Groulx
        Outaouais
        Sherbrooke
        Teccart
247.01 Vanier

TECHNOLOGIE DE CONCEPTION EN ÉLECTRONIQUE 243.16

Définition

Le technologue en conception électronique conçoit et met au point des produits et des procédés à base de circuits analogiques et numériques. Il peut mettre au point des prototypes, contrôler la qualité, élaborer des plans et des shémas pour l'entretien et le dépannage.

Compétences acquises

• Participer à la conception et à la mise au point de produits ou de procédés utilisant des circuits analogiques ou numériques.
• Mettre au point des prototypes et définir un processus d'essai et de contrôle de la qualité.
• Élaborer des plans, des shémas et des notes techniques servant à l'entretien et au dépannage des appareils ou des systèmes électroniques en cours de fabrication.
• Installer, entretenir et modifier des systèmes électroniques de diverses natures.

Le technologue en conception électronique utilise ou manipule les appareils ou instruments suivants: Voltmètres, oscilloscopes, ohmmètres, compteurs de fréquence, synthétiseurs de signal, instruments de mesure, ordinateurs.

Qualités et aptitudes développées

• Bonne capacité de concentration • Sens de la précision • Minutie • Patience • Esprit scientifique

Postes occupés

• Technologue en conception électronique
• Technologue en génie électronique

Indicateur du placement 1988 à 1993

Sortants répondants se destinant à l'emploi: n.d.
Total des répondants en emploi: n.d.

Salaire en 1993

Initial moyen: n.d. $/heure
Initial supérieur: n.d. $/heure

Lieux de formation et de recrutement

Communiquez avec les cégeps suivants:
Lionel-Groulx
Maisonneuve
Trois-Rivières

TECHNIQUES D'ARCHITECTURE NAVALE 248.01

Définition

Le technicien en architecture navale participe aux diverses étapes de construction, de modification ou de réparation de toutes sortes de navires et de bateaux (marchand, passager, pêche, plaisance).

Compétences acquises

- Participer aux études préliminaires en vue de déterminer le projet de construction, de réparation ou de modification du navire.
- Élaborer l'échéancier des travaux.
- Dessiner des plans à partir d'esquisses de coques.
- Réaliser des dessins de détail à partir du shéma d'aménagement de la salle des machines.
- Établir la liste des matériaux requis.
- Faire une évaluation des coûts de réalisation.
- Calculer les structures de la coque et des armements du navire.
- Développer les installations d'équipements mécaniques et électriques selon les contraintes du navire.
- Dresser des tableaux comparatifs des équipements disponibles en fonction de leur performance et de leur coût.
- Vérifier les travaux de construction et de réparation de coque ou d'armement.
- Vérifier la qualité des systèmes installés par des essais et déterminer leur conformité en référence aux lois et normes de l'industrie.
- Participer aux essais du navire en chantier et en mer.

Le technicien en architecture navale utilise ou manipule les appareils ou instruments suivants: Ordinateur, CAO et DAO.

Qualités et aptitudes développées

• Travail de précision • Sens de l'initiative • Bon jugement • Travail d'équipe • Sens des responsabilités

Postes occupés

- Technicien en architecture navale
- Dessinateur en architecture navale
- Estimateur de travaux en construction navale
- Technicien aux essais et au contrôle de la qualité
- Technicien en génie naval

Indicateur du placement 1988 à 1993

Sortants répondants se destinant à l'emploi:	56	
Total des répondants en emploi:	54	96%

Salaire en 1993

Initial moyen: n.d. $/heure
Initial supérieur: n.d. $/heure

Lieu de formation et de recrutement

Communiquez avec l'Institut maritime du Québec (cégep de Rimouski).

Définition

L'officier de navigation est en mesure d'assurer et de diriger la navigation d'un navire dans les meilleures conditions de sécurité en coordonnant ou en effectuant les manoeuvres normales et les manoeuvres d'urgence. Il doit également assurer en tout temps la sécurité du navire et des personnes à bord.

Compétences acquises

- Posséder de fortes notions de cartographie, de météorologie, de navigation astronomique et d'électronique.
- Assurer la stabilité du navire.
- Connaître le processus de construction d'un navire.
- Piloter un navire sur de longs trajets ou diriger des manoeuvres à l'intérieur d'un port.
- Faire des recommandations sur la route à suivre et sur la vitesse du navire.

Tâches et responsabilités reliées au grade

- Le CAPITAINE (Commandant) est responsable auprès de l'armateur et du propriétaire du navire de la gestion complète des affaires à bord, de l'opération et de la sécurité du bâtiment.
- Le 1er LIEUTENANT commande l'équipage de pont. Il est responsable de l'entretien du navire ainsi que des opérations de chargement et de déchargement en vue de la stabilité du navire.
- Le 2e LIEUTENANT est entre autre responsable de la navigation sécuritaire du navire et de l'équipement de navigation.
- Le LIEUTENANT DE QUART est responsable des équipements de sécurité.

L'officier de navigation utilise ou manipule différents appareils ou instruments tels que: boussole, cartes maritimes, compas, sextant, radar.

Qualités et aptitudes développées

- Bon jugement • Sens des responsabilités • Esprit d'initiative • Travail d'équipe
- Bonne discipline personnelle

Postes occupés

- Commandant
- Capitaine
- Lieutenant de marine
- Pilote de navire

Indicateur du placement 1988 à 1993

Sortants répondants se destinant à l'emploi:	64	
Total des répondants en emploi:	58	91%

Salaire en 1993

Initial moyen:	n.d. $/heure
Initial supérieur:	n.d. $/heure

Lieu de formation et de recrutement

Communiquez avec l'Institut maritime du Québec (cégep de Rimouski).

GÉNIE MÉCANIQUE DE MARINE

Définition

Le technicien en génie mécanique de marine assume l'entière responsabilité de toute la machinerie à bord d'un navire. Il supervise le personnel chargé du fonctionnement et de l'entretien des machines et dirige, s'il y a lieu les équipes de techniciens qui effectuent les réparations sur les machines de propulsion et les installations électriques.

Compétences acquises

- Tenir un journal de fonctionnement des machines et les réparer lorsque cela est nécessaire.
- Surveiller les divers instruments de mesure (pression, température) qui indiquent le bon fonctionnement des moteurs.
- Veiller au bon fonctionnement de tous les systèmes du navire ainsi qu'à l'entretien de l'équipement électrique.
- Régler la vitesse du navire selon les signaux de la passerelle en actionnant les régulateurs et les vannes.

Tâches et responsabilités reliées au grade:

- L'OFFICIER 1re classe (chef mécanicien) est responsable auprès de l'armateur du fonctionnement efficace de toute la machinerie et du travail administratif qui s'y rattache.
- L'OFFICIER 2e classe est responsable auprès du chef de la supervision des tâches du personnel et de l'entretien du navire.
- Les OFFICIERS 3e et 4e classe sont responsables de la bonne marche de la salle des machines durant leur quart.

Qualités et aptitudes développées

- Bon jugement • Sens des responsabilités • Esprit d'initiative • Travail d'équipe • Bonne discipline personnelle • Dextérité

Postes occupés

- Technicien en génie mécanique de marine
- Chef mécanicien
- Officier mécanicien

Indicateur du placement 1988 à 1993

Sortants répondants se destinant à l'emploi:	55	
Total des répondants en emploi:	53	96%

Salaire en 1993

Initial moyen:	n.d. $/heure
Initial supérieur:	n.d. $/heure

Lieu de formation et de recrutement

Communiquez avec l'Institut maritime du Québec (cégep de Rimouski).

TECHNOLOGIE ET GESTION
DES TEXTILES (FINITION)   251.01

Définition
Le technologue superviseur en finition textile est un spécialiste dans les processus mécaniques de transformation des matières textiles. Il maîtrise parfaitement la portée des phénomènes chimiques impliqués dans les opérations d'ennoblissement.

Compétences acquises
- Oeuvrer dans les départements de la teinture, de l'impression, de la finition et de l'inspection ainsi que dans les laboratoires de teinture ou de contrôle de la qualité.
- Contrôler l'approvisionnement en matériel et en produits chimiques.
- Voir à la préparation des couleurs et des solutions de finition.
- Effectuer des tests de contrôle de la qualité de la teinture et décider des corrections à apporter s'il y a lieu.
- S'occuper de la tenue des dossiers et superviser la rédaction des rapports d'analyse.
- Superviser les équipes de travail et assumer les diverses responsabilités de gestion qui s'y rattachent.

Le technologue en finition textile utilise ou manipule les appareils ou instruments tels que: spectrophotomètre, colorimètre, ordinateur, machinerie de formats réduits pour la teinture et l'impression des étoffes ainsi que plusieurs instruments et appareils de mesures.

Qualités et aptitudes développées
- Travail d'équipe • Aptitudes pour les sciences et les couleurs • Souci du détail
- Facilité de communication • Esprit d'analyse • Savoir solutionner des problèmes

Postes occupés
- Technologue superviseur en finition textile
- Contrôleur de la qualité
- Teinturier
- Contrôleur de production
- Gérant de production textile
- Superviseur de laboratoire de teinture et/ou de contrôle de la qualité

Indicateur du placement 1988 à 1993
Sortants répondants se destinant à l'emploi:	38	
Total des répondants en emploi:	37	97%

Salaire en 1993
Initial moyen: 13,00 $/heure
Initial supérieur: 19,60 $/heure

Lieu de formation et de recrutement
Communiquez avec le cégep de Saint-Hyacinthe.

TECHNOLOGIE ET GESTION
DES TEXTILES (FABRICATION)　　251.02

Définition
Le technologue en fabrication textile est un spécialiste dans les processus mécaniques de transformation des fibres en filés ou en non-tissés et des filés en tricot, en tissus et en tapis.

Compétences acquises
• Analyser les tâches à accomplir et déterminer les besoins en main-d'oeuvre.
• Déterminer les méthodes de travail, rédiger les rapports techniques et faire des recommandations.
• Contrôler la préparation et le traitement des fibres, fils et tissus.
• Vérifier le réglage des machines.
• Contrôler la qualité de la production.
• Améliorer la production et les méthodes de travail.
• Coordonner le travail des opérateurs d'équipements.
• Concevoir des tissus.
• Tracer des croquis pour les patrons.
• Rédiger des instructions concernant le tissage, la finition, les couleurs.
• Examiner les échantillons de tissus sur les métiers d'essais et modifier le dessin s'il y a lieu.

Le technologue en fabrication textile utilise ou manipule les appareils ou les instruments tels que: matériel de dessin et ordinateur.

Qualités et aptitudes développées
• Esprit critique • Esprit analytique • Sens des responsabilités • Leadership • Sens esthétique • Minutie • Créativité

Postes occupés
• Technologue en fabrication textile
• Contrôleur de la production en textile
• Superviseur de laboratoire en textile
• Modéliste en tissus

Indicateur du placement 1988 à 1993
Sortants répondants se destinant à l'emploi:	12	
Total des répondants en emploi:	12	100%

Salaire en 1993
Initial moyen:　　n.d. $/heure
Initial supérieur:　　n.d. $/heure

Lieu de formation et de recrutement
Communiquez avec le cégep de Saint-Hyacinthe.

Définition
Le technicien en assainissement des eaux est en mesure d'échantillonner, d'analyser et de caractériser les eaux brutes, usées ou traitées, d'effectuer des relevés hydrologiques et d'opérer ou de gérer de façon sécuritaire et optimale les installations de traitement des eaux.

Compétences acquises
• Voir à l'acheminement de l'eau vers la station de traitement des eaux.
• Voir à l'élimination des substances nuisibles présentes dans les eaux.
• Voir à la production d'eau potable.
• Entretenir les équipements, les machines, la tuyauterie, la robinetterie et les divers accessoires utilisés pour le traitement des eaux.
• Effectuer des analyses physiques, chimiques ou bactériologiques de l'eau et procéder à divers essais en laboratoire.
• Gérer la main-d'oeuvre et les diverses installations.
• Préparer les plans des installations et conduites nécessaires au traitement de l'eau.
• Prendre des mesures des plans d'eau, des glaces et du frasil.
• Prendre des échantillons des eaux et procéder à des analyses.
• Vérifier les réserves des eaux souterraines.
• Effectuer des sondages bathymétriques.
• Installer des stations hydrométriques.
Le technicien en assainissement des eaux utiilse ou manipule des appareils ou instruments tels que: turbidimètre, limnimètre, canal jaugeur, décanteur, etc.

Qualités et aptitudes développées
• Bon jugement • Minutie • Rigueur • Sens des responsabilités

Postes occupés
• Technicien en assainissement des eaux
• Technicien en hydrologie
• Opérateur ou gérant de station de traitement
• Technicien de laboratoire
• Technicien en environnement

Indicateur du placement 1988 à 1993
Sortants répondants se destinant à l'emploi: 116
Total des répondants en emploi: 116 100%

Salaire en 1993
Initial moyen: 14,30 $/heure
Initial supérieur: 18,30 $/heure

Lieu de formation et de recrutement
Communiquez avec le cégep de Saint-Laurent.

ASSAINISSEMENT ET SÉCURITÉ INDUSTRIELS

Définition

Le technicien en assainissement et sécurité industriels travaille dans le domaine de la santé et sécurité au travail et est soucieux de la qualité de l'environnement. Il tente par divers moyens d'améliorer l'état de santé et la sécurité des travailleurs, de surveiller le degré de contamination de l'air, de l'eau et du sol et de s'assurer que les établissements industriels respectent les conditions normales d'hygiène.

Compétences acquises

- Mesurer, échantillonner, analyser divers polluants liquides, solides ou gazeux.
- Tenir compte des normes à respecter.
- Agir comme conseiller.
- Monter des dossiers et proposer des solutions en respectant les contraintes du milieu.
- Travailler à améliorer la qualité de vie au travail.
- Informer les travailleurs sur les mesures à adopter pour améliorer la salubrité.
- Participer à des opérations de dépistage des maladies reliées au milieu du travail.
- Voir à l'installation et au bon fonctionnement des appareils destinés à mesurer la pollution.
- Voir à l'installation et à l'entretien des postes d'échantillonnage.
- Recueillir les résultats des observations, en faire l'analyse et l'interprétation.
- Identifier les sources de pollution.
- Vérifier l'efficacité des systèmes industriels servant à dépolluer et s'assurer qu'ils répondent aux normes.

Le technicien en assainissement et sécurité industriels utilise ou manipule des appareils ou instruments tels que: analyseur d'eau et de gaz, appareil de détection de fuite de gaz, sonomètre, pompe d'échantillonnage, dépoussiéreur, etc.

Qualités et aptitudes développées

- Travail d'équipe • Autonomie • Dynamisme • Entregent • Sens des responsabilités

Postes occupés

- Technicien en assainissement et sécurité industriels
- Technicien en hygiène industrielle
- Technicien en hygiène du travail
- Technicien en environnement
- Technicien en assainissement de l'air et du milieu

Indicateur du placement 1988 à 1993

Sortants répondants se destinant à l'emploi: 104
Total des répondants en emploi: 98   94%

Salaire en 1993

Initial moyen: 12,50 $/heure
Initial supérieur: 16,30 $/heure

Lieux de formation et de recrutement

Communiquez avec les cégeps suivants:
Jonquière
Saint-Laurent

CONTRÔLE DE LA QUALITÉ
(Techniques de la métallurgie) 270.02

Définition
Le technicien en contrôle de la qualité en métallurgie vérifie la qualité des matériaux qui entrent dans la fabrication de produits et d'ensembles métalliques. Les méthodes de vérification peuvent être physiques, chimiques, mécaniques ou non destructives.

Compétences acquises
Effectuer des essais d'ordre:
- Mécanique (traction, dureté, résilience, fatigue).
- Chimique (analyse par voie humide, analyse instrumentale par fluorescence x, diffraction et spectroscopie).
- Métallographiques.
- Non destructif (radiographie par rayons x et gamma, ultrason, ressuage, magnétoscopie et courant de Foucault).
- Analyser et interpréter les résultats selon les normes ASTM, ACNOR, etc.
- Participer à l'élaboration de programmes d'assurance qualité en accord avec les codes et normes.
- Participer avec l'ingénieur et tout autre autorité technique à la recherche, à la planification, à la mécanisation et à l'élaboration des procédés de production ou de contrôle.

Qualités et aptitudes développées
- Autonomie et initiative • Dextérité manuelle • Précision • Esprit d'observation • Sens de l'organisation • Esprit d'équipe

Postes occupés
- Technicien en contrôle de la qualité en métallurgie
- Technicien aux essais mécaniques
- Technicien aux essais non-destructifs
- Technicien en placage électrolytique
- Technicien en traitements thermiques

Indicateur du placement 1988 à 1993
Sortants répondants se destinant à l'emploi: 51
Total des répondants en emploi: 49 96%

Salaire en 1993
Initial moyen: 12,40 $/heure
Initial supérieur: 17,60 $/heure

Lieu de formation et de recrutement
Communiquez avec le cégep de Trois-Rivières.

SOUDAGE (Techniques de la métallurgie) 270.03

Définition
Le technicien en soudage est un spécialiste du soudage, du coupage et de la métallographie, en essais mécaniques et non destructifs et en conception de constructions soudées. Il interprète les normes et les codes de la profession et établit des procédures de soudage et de qualifications.

Compétences acquises
- Inspecter des soudures visuellement par des essais destructifs et non destructifs.
- Élaborer des procédures de soudage en appliquant les normes ACNOR ou ASME.
- Mettre au point un procédé de soudage semi-automatique ou automatique.
- Lire les plans et interpréter les symboles de soudage des ensembles soudés.
- Estimer les coûts de soudage.
- Participer à la mise en place d'un système d'assurance qualité.
- Écrire des rapports techniques.

Le technicien en soudage utilise ou manipule des équipements de soudage semi-automatiques et automatiques, des appareils de coupage des métaux (plasma, gaz), des appareils de mesure des profils des cordons de soudure ainsi que des appareils de contrôle des soudures (magnétoscopie, ressuage).

Qualités et aptitudes développées
- Dextérité manuelle • Rigueur • Précision • Sens de l'observation • Esprit d'équipe

Postes occupés
- Technicien en soudage
- Inspecteur (contrôle de qualité)
- Technicien de laboratoire

Indicateur du placement 1988 à 1993
Sortants répondants se destinant à l'emploi:	37	
Total des répondants en emploi:	34	92%

Salaire en 1993
Initial moyen: 13,60 $/heure
Initial supérieur: 20,70 $/heure

Lieu de formation et de recrutement
Communiquez avec le cégep de Trois-Rivières.

PROCÉDÉS MÉTALLURGIQUES
(Techniques de la métallurgie) 270.04

Définition
Le technicien en procédés métallurgiques s'occupe de la production. Il réalise, fabrique, développe et contrôle les procédés de production dans divers domaines tels que la production de métaux primaires, l'élaboration d'alliages fins, la mise en forme par moulage ou par déformation à chaud ou à froid, les traitements thermiques ou l'électrochimie.

Compétences acquises
• Planifier la production de produits métalliques.
• Développer, superviser et vérifier les procédés de production dans les domaines tels que la production de métal primaire, la fusion des métaux, la coulée des alliages, la mise en forme et la galvanoplastie.
• Ajuster et régulariser les procédés de production.
• Assurer la qualité de la production en toute sécurité.
• Évaluer le rendement des équipements.
• Superviser des opérateurs.
• Déterminer les besoins d'entretien, de remplacement et de calibration des appareils de production.
• Connaître les procédés d'extraction des métaux à partir des minerais.
• Participer aux opérations de réduction et d'affinage des métaux non ferreux.

Le technicien en procédés métallurgiques utilise ou manipule les appareils ou instruments suivants: microscope, tronçonneuse, polisseuse, solutions électrolytiques, spectrophotomètre, thermomètre, logiciel, fours.

Qualités et aptitudes développées
• Esprit scientifique • Sens de l'observation • Précision • Rigueur • Dextérité manuelle
• Esprit d'initiative

Postes occupés
• Technicien en procédés métallurgiques
• Technicien à la fabrication d'alliage
• Technicien en génie métallurgique

Indicateur du placement 1988 à 1993
Sortants répondants se destinant à l'emploi:	49	
Total des répondants en emploi:	45	92%

Salaire en 1993
Initial moyen: 13,30 $/heure
Initial supérieur: 18,80 $/heure

Lieu de formation et de recrutement
Communiquez avec le cégep de Trois-Rivières.

GÉOLOGIE APPLIQUÉE 271.01

Définition
Le technicien en géologie participe à la recherche des gisements (exploration et prospection), à l'étude détaillée des gisements en cours d'exploitation (géologie minière), à des études et travaux dans les domaines de la géotechnique, de l'hydrogéologie et de l'environnement.

Compétences acquises
- Rassembler, compiler et analyser de la documentation géoscientifique.
- Effectuer des levés géophysiques et géochimiques.
- Surveiller des forages.
- Décrire et échantillonner des carottes de forage.
- Échantillonner et cartographier des chantiers d'abattage.
- Préparer et analyser des échantillons.
- Inventorier les dépôts et caractériser les granulats.
- Rechercher et exploiter les eaux souterraines.
- Échantillonner, caractériser et restaurer les sites contaminés.
- Réaliser des levés topométriques.
- Dessiner par méthode traditionnelle et par ordinateur.

Le technicien en géologie appliquée utilise ou manipule les appareils ou instruments tels que: appareils de géophysique et d'arpentage, échantillonneur d'eau, détecteur de contaminants, stéréoscope, microscope, équipement pour les essais normalisés, géoradar, ordinateur.

Qualités et aptitudes développées
• Aptitudes pour le dessin (DAO) • Travail d'équipe • Bon sens pratique • Sens de l'organisation et de l'analyse

Postes occupés
- Technicien en géologie
- Technicien en cartographie géologique
- Technicien en géophysique et géochimie
- Technicien en géotechnique
- Technicien en hydrogéologie
- Technicien en caractérisation et restauration des sites contaminés

Indicateur du placement 1988 à 1993
Sortants répondants se destinant à l'emploi:	38	
Total des répondants en emploi:	32	84%

Salaire en 1993
Initial moyen: 11,30 $/heure
Initial supérieur: 15,00 $/heure

Lieux de formation et de recrutement
Communiquez avec les cégeps suivants:
Abitibi-Témiscamingue
Région de l'Amiante

EXPLOITATION

Définition

Le travail du technicien en exploitation des gisements est relié à l'extraction de richesses naturelles par méthodes souterraines et à ciel ouvert, à des travaux publics (métro, barrage, route), à la stabilité du roc dans les excavations et à la qualité de l'air.

Compétences acquises

- Effectuer des levés topométriques de terrain et en faire la mise en plan.
- Utiliser une station totale (arpentage) et l'ordinateur (dessin assisté par ordinateur).
- Aider à planifier et surveiller des opérations d'abattage de la roche à l'explosif.
- Effectuer divers essais standardisés permettant de mesurer la résistance de la roche.
- Inspecter les parois des excavations souterraines.
- Vérifier la stabilité des pentes.
- Mesurer la quantité et la qualité de l'air dans les opérations souterraines.
- Contrôler les poussières, les gaz et le bruit en milieu de travail.
- Assister l'ingénieur dans la planification des travaux.
- Superviser une équipe dans les travaux de production.

Le technicien en exploitation des gisements utilise ou manipule les appareils ou instruments tels que: niveau, théodolite, station totale, micro-ordinateur, anémomètre, sonomètre, planimètre, instruments de mesure en mécanique des roches.

Qualités et aptitudes développées

- Habileté en dessin technique (DAO) • Leadership • Travail d'équipe • Sens pratique

Postes occupés

- Technicien en exploitation des gisements
- Technicien en exploitation de carrières
- Technicien en génie minier
- Inspecteur de mines
- Foreur
- Dynamiteur
- Représentant en explosifs
- Arpenteur

Indicateur du placement 1988 à 1993

Sortants répondants se destinant à l'emploi:	75	
Total des répondants en emploi:	63	84%

Salaire en 1993

Initial moyen: 14,30 $/heure
Initial supérieur: 16,40 $/heure

Lieux de formation et de recrutement

Communiquez avec les cégeps suivants:
Abitibi-Témiscamingue
Région de l'Amiante

MINÉRALURGIE

Définition

Le technicien en minéralurgie s'intéresse à la concentration et à l'extraction du minerai exploité dans les mines et carrières par procédés physiques et chimiques (pyrométallurgie et hydrométallurgie).

Compétences acquises

- Superviser les activités de concassage, de broyage, de classification et de concentration du minerai.
- Veiller à l'approvisionnement en minéraux et en produits chimiques.
- Contrôler la qualité du milieu (gaz, poussières, bruit).
- Améliorer les performances de l'usine.
- Superviser les travailleurs.
- Réaliser des essais en laboratoire et en usine-pilote (méthodes gravimétriques, magnétiques, flottation, hydrométallurgie).
- Mettre en oeuvre des procédés de traitement.
- Contrôler et traiter des résidus solides et des eaux usées.
- Effectuer la prise d'échantillons.
- Voir à ce que les échantillons soient broyés correctement.
- Recueillir les données relatives aux essais et aux analyses.
- Rédiger des rapports périodiques sur les essais de laboratoire.
- Faire des analyses chimiques.

Le technicien en minéralurgie utilise ou manipule les appareils ou instruments tels que: diviseur automatique, microscope, balance, broyeur, concasseur, tamis, spirales, appareil à absorption atomique, four à pyroanalyse (pour l'or), table à secousses, filtre, cellules de flottation, pH mètre, appareils électroniques, ordinateur.

Qualités et aptitudes développées

- Sens de l'observation • Esprit d'analyse • Esprit inventif • Goût du travail précis

Postes occupés

- Technicien en minéralurgie
- Technicien en traitement des minerais
- Technicien en environnement
- Technicien en assainissement
- Technicien en valorisation de rejets et recyclage
- Technicien en restauration et traitement des rejets et des sites contaminés

Indicateur du placement 1988 à 1993

Sortants répondants se destinant à l'emploi: 49
Total des répondants en emploi: 40   82%

Salaire en 1993

Initial moyen: 11,00 $/heure
Initial supérieur: 16,00 $/heure

Lieux de formation et de recrutement

Communiquez avec les cégeps suivants:
Abitibi-Témiscamingue
Région de l'Amiante

TECHNOLOGIE DE CONSTRUCTION AÉRONAUTIQUE

Définition
Le technicien en construction aéronautique est un spécialiste de la conception et fabrication qui collabore à l'expérimentation des prototypes, à l'élaboration des méthodes de production ainsi qu'à la planification du service et de l'entretien des avions et engins spatiaux.

Compétences acquises
• Faire des mises en plans et des dessins de prototype.
• Vérifier en laboratoire les prototypes soumis par les bureaux d'ingénieurs.
• Effectuer des tests sur les moteurs.
• Voir à la fabrication des prototypes ainsi qu'à la préparation des lignes de production et d'assemblage.
• Collaborer à l'élaboration des dessins de production et d'inspection ainsi qu'à la préparation de l'outillage et des gabarits.
• Appliquer les principes du contrôle de la qualité reliés à l'aéronautique.
• Préparer le travail pour les machines de base, les machines automatiques et celles à commande numérique.
• Analyser les rapports d'inspection qui lui sont soumis et prendre des décisions quant aux modifications et aux réparations requises.
• Préparer les devis de vérification des systèmes électroniques, hydrauliques, pneumatiques et mécaniques pour en assurer le bon fonctionnement.

Le technicien en construction aéronautique utilise ou manipule différents appareils et instruments tels que: machine-outils de haute précision et ordinateur.

Qualités et aptitudes développées
• Capacité de travailler en équipe • Précision • Minutie • Sens de l'organisation • Sens des responsabilités

Postes occupés
• Technicien en construction aéronautique
• Technicien en génie aérospatial
• Assembleur
• Dessinateur
• Inspecteur-planificateur de la production
• Opérateur de machines à contrôle numérique

Indicateur du placement 1989 à 1993
Sortants répondants se destinant à l'emploi:	189	
Total des répondants en emploi:	153	81%

Salaire en 1993
Initial moyen: 10,00 $/heure
Initial supérieur: 14,00 $/heure

Lieu de formation et de recrutement
Communiquez avec le cégep Édouard-Montpetit.

Introduction

Le programme de pilotage d'aéronefs vise à préparer les candidats à exercer avec compétence les tâches inhérentes à un pilote d'aéronefs (avion et hélicoptère). Ce programme permettra d'acquérir les connaissances théoriques et de développer les habilités pratiques nécessaires à un pilote dans l'exercice de ses fonctions tant sur le plan national qu'international.

Compétences acquises

En tant que pilote de brousse (hydravion)

• Agir en qualité de pilote commandant de bord sur la majorité des appareils utilisés par les transporteurs aériens de brousse.
• Répondre aux besoins des transporteurs afin d'assurer le transport des personnes, des biens vers les régions nordiques où les infrastructures aéroportuaires sont soit peu développées, soit inexistantes, d'où la nécessité d'utiliser des hydravions, l'été et des avions munis de skis, l'hiver.

N.B. Le diplômé de cette option détiendra, à sa sortie sur le marché du travail, une licence de pilote professionnel (catégorie avion) annotée pour le vol sur hydravion et délivrée par Transports Canada.

En tant que pilote de ligne (multimoteurs aux instruments)

• Agir en qualité de pilote commandant de bord ou encore occuper d'autres fonctions de pilote et ce, en relation avec la complexité de l'appareil utilisé.
• Répondre, à titre de pilote commandant de bord, de premier officier ou encore d'officier en second, aux besoins des sociétés qui assurent le transport aérien de passagers et/ou de marchandises.

N.B. Le diplômé de cette option détiendra, à sa sortie sur le marché du travail, une licence de pilote professionnel (catégorie avion) annotée pour le vol sur multimoteurs. De plus, il détiendra une qualification pour le vol aux instruments. Ces permis sont délivrés par Transports Canada.

En tant que pilote d'hélicoptère

• Agir en qualité de pilote commandant de bord sur la majorité des hélicoptères utilisés par les transporteurs aériens spécialisés dans ce secteur d'activités.
• Répondre aux besoins des transporteurs lors de transports de passagers et/ou de marchandises dans des régions presque inaccessibles ou encore pour du travail aérien nécessitant l'utilisation d'hélicoptères.

N.B. Le diplômé de cette option détiendra, à sa sortie sur le marché du travail, une licence de pilote professionnel délivrée par Transports Canada (catégorie hélicoptère).

Qualités et aptitudes développées

• Sang Froid • Esprit d'initiative et de débrouillardise • Bons réflexes • Sens de l'observation • Rapidité de décision • Excellent jugement • Stabilité émotive • Sens de la discipline • Sens des responsabilités

Postes occupés

• Pilote d'avion
• Pilote d'hélicoptère
• Pilote de brousse

Indicateur du placement 1988 à 1993

Sortants répondants se destinant à l'emploi:	126	
Total des répondants en emploi:	105	83%

Salaire en 1993

Initial moyen: 12,50 $/heure
Initial supérieur: 15,00 $/heure

Lieu de formation et de recrutement

Communiquez avec le cégep de Chicoutimi.

ENTRETIEN D'AÉRONEFS

Définition

Le technicien en entretien d'aéronefs est un spécialiste de la mécanique qui entretient, répare et inspecte les avions et autres appareils: hélicoptères, monomoteurs, bimoteurs, etc. Il a la responsabilité de garder en bon état les structures et les éléments mécaniques des aéronefs afin d'assurer la sécurité et l'efficacité de ce mode de transport.

Compétences acquises

- Maintenir les aéronefs en état de navigabilité.
- Connaître les principes fondamentaux et les concepts régissant la conception des aéronefs.
- Effectuer la recherche de pannes et d'ennuis techniques sur aéronefs.
- Utiliser convenablement et de façon sécuritaire les équipements et outillages nécessaires à l'entretien, la réparation et la modification des aéronefs, de ses systèmes et composantes.
- Connaître les lois et règlements régissant l'aéronautique au Canada.
- Rédiger des rapports techniques en français et en anglais.

Qualités et aptitudes développées

- Capacité de travailler en équipe • Précision • Sens de l'organisation • Sens de l'observation • Sens des responsabilités

Postes occupés

- Technicien en entretien d'aéronefs
- Technicien en banc d'essai
- Contrôleur de montage et d'équipements d'aéronefs

Indicateur du placement 1988 à 1993

Sortants répondants se destinant à l'emploi:	474	
Total des répondants en emploi:	379	80%

Salaire en 1993

Initial moyen:	10,00 $/heure
Initial supérieur:	14,00 $/heure

Lieux de formation et de recrutement

Communiquez avec les cégeps suivants:
Édouard-Montpetit
John Abbott

Définition

Le technicien en avionique est un spécialiste de l'électronique appliquée à l'aviation. Il collabore à la fabrication, à l'entretien, à la mise au point et à la réparation de l'équipement électrique et électronique des avions: radars, génératrices, pilotes automatiques, etc.

Compétences acquises

- Planifier, diriger ou réaliser l'installation, la mise en état de navigabilité, l'entretien préventif, le dépannage et la réparation de systèmes d'avionique conventionnels et automatisés dans un aéronef moderne ou non, en respectant les lois sur la réglementation aérienne du ministère des Transports (MDT).
- Planifier, organiser, diriger et réaliser la modification ou l'amélioration d'un système d'avionique conventionnel ou automatisé dans un aéronef en vue d'assister l'ingénierie à augmenter le rendement, la fiabilité ou pour d'autres raisons. Il devra toujours respecter les lois sur les réglementations aériennes du MDT.

Le technicien en avionique utilise ou manipule les instruments ou appareils tels que: aéromètre, multimètre, oscilloscope, générateur d'impulsion, wattmètre, voltmètre, ampèremètre, mégohmmètre.

Qualités et aptitudes développées

- Capacité de travailler en équipe • Précision • Minutie • Sens de l'observation

Postes occupés

- Technicien en avionique
- Mécanicien d'instruments
- Technicien en installation et réparation d'appareils

Indicateur du placement 1989 à 1993

Sortants répondants se destinant à l'emploi:	151	
Total des répondants en emploi:	129	85%

Salaire en 1993

Initial moyen:	10,00 $/heure
Initial supérieur:	14,00 $/heure

Lieu de formation et de recrutement

Communiquez avec le cégep Édouard-Montpetit.

LES TECHNIQUES
HUMAINES

Introduction

À travers ses interventions de protection sociale et de prévention du crime, le policier est directement impliqué dans un processus de service à rendre à la communauté.

Compétences acquises

• Prêter assistance aux citoyens.
• Référer les citoyens à des organismes communautaires.
• Protéger la vie et la propriété des gens.
• Maintenir l'ordre public.
• Appliquer les lois en conséquence.
• Assurer la sécurité de l'État.

Qualités et aptitudes développées

• Contrôle de soi et discipline • Sens des relations humaines • Leadership, civisme, politesse et aisance dans les relations sociales • Esprit d'analyse, de synthèse et esprit logique • Intérêt pour les problèmes sociaux • Excellente coordination des réflexes • Honnêteté

Postes occupés

• Policier
• Agent de sécurité

Indicateur du placement 1988 à 1993

Sortants répondants se destinant à l'emploi: 1053
Total des répondants en emploi: 935 89%

Salaire en 1993

Initial moyen: 14,60 $/heure
initial supérieur: 17,40 $/heure

Lieux de formation et de recrutement

Communiquez avec les cégeps suivants:
Ahuntsic
Alma
Campus Notre-Dame-de-Foy
François-Xavier-Garneau
John Abbott
Maisonneuve
Outaouais
Rimouski
Sherbrooke
Trois-Rivières

TECHNIQUES D'INTERVENTION EN DÉLINQUANCE 310.02

Définition
Le technicien d'intervention en délinquance intervient de façon directe et quotidienne auprès de victimes ou encore auprès de personnes adultes ou juvéniles qui ont été condamnées à des mesures pénales ou extra pénales suite à des actes délictueux ou qui ont des risques d'actes délinquants. Son rôle comporte une triple dimension: l'observation, l'encadrement et la relation d'aide.

Compétences acquises
- Assurer l'encadrement des clientèles, dans différents contextes.
- Observer les comportements et en faire une analyse pertinente en vue de l'élaboration et de l'application de plans d'intervention adéquats.
- Intervenir de façon directe et quotidienne auprès des clientèles délinquantes, de leur famille ainsi que des victimes.

Qualités et aptitudes développées
• Stabilité émotive et jugement sain • Ouverture d'esprit face à la clientèle délinquante ou victimisée • Maîtrise de soi et capacité à travailler en situation de stress • Capacité d'affirmation de soi et d'exercice d'autorité • Empathie, capacité de communication et de travail en équipe • Aptitude à animer des groupes

Postes occupés
- Technicien d'intervention en délinquance
- Éducateur
- Intervenant communautaire auprès des contrevenants, de leur famille et des victimes
- Intervenant en prévention dans les écoles
- Agent des services correctionnels

Indicateur du placement 1988 à 1993
Sortants répondants se destinant à l'emploi: 206
Total des répondants en emploi: 185 90%

Salaire en 1993
Initial moyen: 12,50 $/heure
Initial supérieur: n.d. $/heure

Lieux de formation et de recrutement
Communiquez avec les cégeps suivants:
Ahuntsic
François-Xavier-Garneau
John Abbott
Maisonneuve

Définition
Le technicien en droit est un adjoint qui effectue la recherche juridique et rédige des procédures. Il peut également devenir huissier de justice.

Compétences acquises
Dans un bureau d'avocats et dans les contentieux des banques, des compagnies d'assurance, etc.:
- Rédiger des actes de procédures (mise en demeure, requête, action, défense, etc.)
- Effectuer la recherche juridique (lois, règlements, jurisprudence, registres du Bureau de la publicité des droits).
- Étudier les plaintes et les réclamations et assurer le suivi du dossier.
- Communiquer avec les banques de données par ordinateur et mettre à jour la bibliothèque.

Dans un bureau de notaire:
- Effectuer les différentes vacations et vérifications au Bureau de la publicité des droits.
- Compléter et vérifier les dossiers, les différents documents reçus et les procédures qui s'y rattachent.
- Assurer le suivi des dossiers en droit corporatif.
- Assurer la mise à jour de la bibliothèque, du cardex et du répertoire.

À la fonction publique, dans les greffes des tribunaux:
- Effectuer des tâches telles que l'émission des brefs, le timbrage des procédures, la rédaction des jugements, la constitution du tableau des jurés, la préparation des rôles.
- Percevoir des pensions alimentaires ou des amendes.
- Piloter des dossiers en matière de petites créances.
- Agir comme greffier-audiencier.

Dans les bureaux d'huissiers:
- Signifier les procédures, procéder à l'exécution des jugements, notamment exécuter des saisies mobilières et immobilières, des mandats et rédiger des constats.

Dans les bureaux de la publicité des droits:
- Vérifier les actes soumis pour publication.
- Faire les entrées sur ordinateurs et effectuer les entrées dans les actes et index aux registres.

Qualités et aptitudes développées
• Esprit d'analyse • Esprit de synthèse • Goût de la communication orale et écrite • Sens des nuances et capacité d'amener différents points sur un problème juridique • Minutie et précision • Autonomie, sens des responsabilités et initiative

Postes occupés
- Technicien en droit
- Recherchiste en droit
- Examinateur des titres de propriété
- Greffier-audiencier
- Huissier de justice

Indicateur du placement 1988 à 1993
Sortants répondants se destinant à l'emploi:	316	
Total des répondants en emploi:	263	83%

Salaire en 1993
Initial moyen:	9,80 $/heure
Initial supérieur:	11,60 $/heure

Lieux de formation et de recrutement
Communiquez avec les cégeps suivants:

Ahuntsic	L'Assomption	Séminaire de Sherbrooke
François-Xavier-Garneau	O'Sullivan de Montréal	

TECHNIQUES D'ÉDUCATION EN SERVICES DE GARDE 322.03

Définition

Le technicien en garderie est un spécialiste de l'éducation auprès des enfants de 0 à 12 ans fréquentant différents types de services de garde. Il voit à la satisfaction des besoins socio-affectifs, physiologiques, psycho-moteurs et cognitifs des enfants. Il planifie, organise et anime les différentes activités reliées au programme éducatif du service de garde. Il collabore avec les parents et autres intervenants à l'éducation des enfants.

Compétences acquises

- Respecter les règles d'éthique professionnelle.
- Maintenir une relation significative avec l'enfant et intervenir de façon à le soutenir, le stimuler et le confronter dans sa démarche personnelle de développement.
- Assurer les soins physiques nécessaires aux jeunes enfants.
- Assurer la sécurité de l'enfant et administrer les soins d'urgence.
- Proposer et animer des activités ouvertes favorisant le développement physique, intellectuel et affectif de l'enfant.
- Gérer la vie collective en services de garde.
- Assurer le suivi de l'enfant.
- Créer un environnement éducatif sain et sécuritaire.
- Communiquer avec les parents et autres partenaires.
- Participer aux réunions d'équipe.
- Participer à l'organisation et à la gestion du milieu de garde.
- Participer à l'intégration du service de garde à la communauté et développer chez les enfants un sentiment d'appartenance à leur service de garde.

Qualités et aptitudes développées

• Dynamisme • Créativité, esprit novateur • Entrain • Chaleur humaine • Sociabilité • Sens des responsabilités, cohérence • Talent d'animateur • Esprit d'équipe • Patience • Stabilité émotive • Sens de l'organisation • Facilité d'expression • Ouverture d'esprit • Disponibilité • Discrétion • Fermeté

Postes occupés

- Technicien en garderie
- Éducateur en services de garde
- Responsable d'un service de garde

Indicateur du placement 1988 à 1993

Sortants répondants se destinant à l'emploi:	1061	
Total des répondants en emploi:	1017	96%

Salaire en 1993

Initial moyen:	8,80 $/heure
Initial supérieur:	13,50 $/heure

Lieux de formation et de recrutement

Communiquez avec les cégeps suivants:

Beauce-Appalaches	Jonquière	Sherbrooke
Campus N.-D. de Foy	Marie-Victorin	Ste-Foy
Collège Laflèche	Outaouais	Saint-Jérôme
Collège de l'Assomption	Rivière-du-Loup	Vanier
Édouard-Montpetit	Shawinigan	Vieux Montréal
Héritage		

TECHNIQUES D'ÉDUCATION SPÉCIALISÉE

Définition

Le technicien en éducation spécialisée est un intervenant psycho-social qui accompagne et aide la personne en difficultés d'adaptation ou susceptible de le devenir. Par ses méthodes d'intervention, il facilite soit la réadaptation, l'intégration sociale, l'adaptation ou le maintien dans le milieu naturel.

Compétences acquises

- Accompagner et établir une relation d'aide dans les activités de la vie quotidienne afin de les rendre significatives.
- Organiser, animer et évaluer des activités en rapport avec les objectifs de la personne.
- Observer les comportements des personnes afin de préciser les besoins et les interventions appropriées.
- Participer avec l'équipe interdisciplinaire et la personne, à l'élaboration du Plan de Services Individualisés (P.S.I.).
- Élaborer, appliquer et évaluer le plan d'intervention avec la personne concernée (objectif, moyens et stratégies).

Qualités et aptitudes développées

- Capacité à communiquer • Bon jugement • Initiative et créativité • Capacité d'adaptation • Esprit d'équipe • Dynamisme • Sens des responsabilités • Sens de l'organisation

Postes occupés

- Technicien en éducation spécialisée
- Éducateur spécialisé

Indicateur du placement 1988 à 1993

Sortants répondants se destinant à l'emploi:	1979	
Total des répondants en emploi:	1790	90%

Salaire en 1993

Initial moyen: 11,10 $/heure
Initial supérieur: 14,20 $/heure

Lieux de formation et de recrutement

Communiquez avec les cégeps suivants:

Abitibi-Témiscamingue	La Pocatière	Rimouski
Baie-Comeau	Joliette-De Lanaudière	Ste-Foy
Beauce-Appalaches	Jonquière	Saint-Jérôme
Champlain/Lennoxville	Marie-Victorin	Sherbrooke
Collège Laflèche	Outaouais	Vanier
Collège Mérici	Région de l'Amiante	Vieux Montréal
Gaspésie et des Îles		

TECHNIQUES DE RECHERCHE, ENQUÊTE ET SONDAGE 384.01

Définition

Le technicien de recherche, enquête et sondage est spécialisé dans la recherche, le traitement et la communication d'informations, l'étude méthodique de questions sociales, économiques et commerciales et l'application des techniques nécessaires à la mesure des comportements humains.

Compétences acquises

- Rechercher l'information dans des documents ou sur des bases de données informatisées.
- Préparer des échantillons pour des enquêtes et des sondages.
- Concevoir des questionnaires et interviewer des individus et des groupes.
- Analyser des données statistiques sur ordinateur.
- Rédiger des rapports comprenant des textes, des tableaux et des graphiques.
- Vulgariser des informations statistiques pour les rendre accessibles au public.

Qualités et aptitudes développées

- Esprit logique et méthodique • Sens de l'observation • Aptitudes pour les relations humaines • Bonne communication orale et écrite

Postes occupés

- Technicien en recherche, enquête et sondage
- Technicien en statistiques
- Agent de recherche et sondage
- Technicien en traitement de l'information

Indicateur du placement 1988 à 1993

Sortants répondants se destinant à l'emploi: 89
Total des répondants en emploi: 84 94%

Salaire en 1993

Initial moyen: 13,20 $/heure
Initial supérieur: 14,00 $/heure

Lieux de formation et de recrutement

Communiquez avec les cégeps suivants:
Collège Mérici
Rimouski
Rosemont

TECHNIQUES DE TRAVAIL SOCIAL

Définition

Le technicien en travail social est un agent des services sociaux qui intervient auprès des individus, des groupes et des collectivités en vue de les aider à trouver des solutions réalistes aux problèmes qui les confrontent. Il rend des services directs aux clientèles en tenant compte des ressources du milieu en vue d'un meilleur fonctionnement social.

Compétences acquises

- Assurer un accueil humain et chaleureux aux bénéficiaires, les informer avec exactitude et répondre de façon satisfaisante à leurs besoins.
- Analyser la situation, déterminer le niveau d'aide et l'approche appropriée pour répondre aux besoins.
- Participer à l'élaboration, la réalisation et l'évaluation des programmes et des plans d'interventions.
- Procurer diverses ressources aux bénéficiaires ou leur en faciliter l'accès pour répondre adéquatement à leurs besoins.
- Apporter l'assistance professionnelle requise afin d'identifier les situations conflictuelles et d'éliminer les états de tension.
- Restaurer, maintenir et développer l'équilibre dans les relations entre l'individu et son environnement humain, physique et social.
- Promouvoir et accroître la participation active des personnes, des groupes et des collectivités à gérer et effectuer les changements qu'ils désirent.
- Assurer les services de qualité aux bénéficiaires par une évaluation des divers éléments de l'intervention.

Qualités et aptitudes développées

• Empathie • Entregent et respect • Bon raisonnement et jugement • Facilité dans les relations humaines • Patience et compréhension • Autonomie • Esprit d'équipe • Dynamisme • Créativité • Maturité

Postes occupés

- Technicien en travail social
- Conseiller social
- Technicien en assistance sociale
- Agent d'aide socio-économique

Indicateur du placement 1988 à 1993

Sortants répondants se destinant à l'emploi: 811
Total des répondants en emploi: 680 84%

Salaire en 1993

Initial moyen: 9,90 $/heure
Initial supérieur: 14,70 $/heure

Lieux de formation et de recrutement

Communiquez avec les cégeps suivants:
Abitibi-Témiscamingue
Dawson
de la Gaspésie et des Îles
Lévis-Lauzon
Jonquière
Marie-Victorin
Rimouski
Ste-Foy
St-Jérôme
Sherbrooke
Trois-Rivières
Vieux Montréal

TECHNIQUES D'INTERVENTION EN LOISIR

Définition
Le technicien en loisirs est un spécialiste qui organise et anime des activités récréatives de toutes natures pour des groupes, des associations ou des organismes et qui aide ces clientèles spécifiques à définir leurs besoins en matière de loisirs.

Compétences acquises
• Élaborer des programmes de loisirs et participer à leur mise en oeuvre.
• Conseiller sur les loisirs qui conviennent à certains groupes et organiser des activités spéciales: compétitions sportives, tournois, expositions, etc.
• Déterminer avec d'autres spécialistes, les prévisions budgétaires pour les activités de loisirs.
• Travailler au développement des loisirs communautaires afin de rendre le loisir accessible à tous.
• Enseigner les techniques reliées aux activités.
• Évaluer l'intérêt des participants pour les activités artistiques, culturelles, sportives et autres.
• Faire des recommandations sur l'équipement et le matériel nécessaire aux activités.
• Voir au bon fonctionnement et à l'entretien du matériel et des équipements de loisir.
• Faire la promotion des activités programmées.
• Conseiller sur l'embauche des spécialistes affectés aux activités.

Qualités et aptitudes développées
• Aptitudes pour les activités physiques sportives, culturelles, sociales et communautaires • Vigueur • Dynamisme • Sociabilité • Facilité de communications

Postes occupées
• Technicien en loisirs
• Animateur
• Moniteur

Indicateur du placement 1988 à 1993
Sortants répondants se destinant à l'emploi: 272
Total des répondants en emploi: 241   89%

Salaire en 1993
Initial moyen: 11,70 $/heure
Initial supérieur: 14,10 $/heure

Lieux de formation et de recrutement
Communiquez avec les cégeps suivants:
Dawson
Rivière-du-Loup
Saint-Laurent
Vieux Montréal

TECHNIQUES DE LA DOCUMENTATION 393.00

Définition

Le technicien en documentation travaille dans des bibliothèques, des centres de documentation, des centres de gestion de documents et d'archives ou quelquefois dans des librairies.

Compétences acquises

- Sélectionner et acquérir la documentation et l'information pertinente.
- Organiser les ouvrages servant au choix des documents.
- Exécuter les commandes de documents et les vérifier.
- Organiser les collections de documents.
- Décrire les documents (cataloguer) sur fiche ou sur système informatisé.
- Définir le sujet des documents (classifier et indexer).
- Diffuser la documentation et l'information.
- Aider le public à utiliser les différentes ressources (livres, périodiques, documents audiovisuels, banques de données, etc.)
- Fournir l'information pertinente aux besoins du public.
- Gérer un centre de documentation.
- Organiser les documents administratifs et d'archives d'une entreprise.
- Inventorier, établir le cadre de classement, rédiger le calendrier de conservation.
- Répondre aux demandes de l'entreprise.

Qualités et aptitudes développées

• Bonne culture générale • Intérêt pour la lecture, la rédaction • Habileté à travailler avec le public • Travail de précision et de rigueur • Sens de l'organisation

Postes occupés

- Technicien en documentation
- Bibliotechnicien
- Documentaliste
- Analyste en gestion de documents
- Technicien en archives
- Technicien aux acquisitions

Indicateur du placement 1988 à 1993

Sortants répondants se destinant à l'emploi:	614	
Total des répondants en emploi:	506	82%

Salaire en 1993

Initial moyen: 11,50 $/heure
Initial supérieur: 14,30 $/heure

Lieux de formation et de recrutement

Communiquez avec les cégeps suivants:
François-Xavier-Garneau
John Abbott
Jonquière
Lionel-Groulx
Maisonneuve
Outaouais
Trois-Rivières

LES TECHNIQUES
DE L'ADMINISTRATION

TECHNIQUES ADMINISTRATIVES (TRONC COMMUN)

410.00

Introduction

L'objectif du tronc commun du programme techniques administratives permet:

- D'interpréter les résultats de problèmes résolus à l'aide d'outils mathématiques.
- De comprendre l'influence des principales composantes de l'environnement économique national et international de l'entreprise.
- De décrire oralement et par écrit dans un langage administratif les concepts de base de la gestion, les principales fonctions de l'entreprise et leurs relations.
- De solutionner des problèmes juridiques simples propres au monde des affaires et de comprendre les principaux concepts juridiques relevant des différentes situations.
- D'utiliser les outils et les techniques de base propres aux principales fonctions de l'entreprise que sont la finance, le marketing, la production, les ressources humaines et le traitement de l'information administrative.
- D'appliquer les concepts qui régissent la dimension informelle des relations de travail entre les individus et les groupes dans les entreprises.

Les diplômés des diverses options (marketing, personnel, finance, gestion industrielle, transport, gestion et assurances) ont acquis un ensemble de compétences spécifiques.

Pour plus de détails, veuillez vous référer aux options suivantes:

(410.01) marketing

(410.02) personnel

(410.03) finance

(410.04) gestion industrielle

(410.07) transport

(410.11) gestion

(410.15) assurances

Qualités et aptitudes développées

• Facilité de communication écrite et verbale • Esprit d'équipe • Leadership • Sens des responsabilités

Note:

Certains cégeps offrent aux étudiants des projets de fin d'études et de stages en entreprise.

TECHNIQUES ADMINISTRATIVES/
MARKETING   410.01

Définition
Le technicien en administration, option marketing, est appelé à travailler à la commercialisation et à la vente de biens et de services dans les secteurs commercial et industriel.

Compétences acquises
- Effectuer des études de marché (préparation et analyse de sondages).
- Élaborer des stratégies de vente (prix, présentation de produits, publicité).
- Gérer les produits (achats, distribution, «merchandising», entreposage).
- Gérer les éléments du réseau de distribution.
- Appliquer des règles de commercialisation.
- Contrôler la qualité du service (droits du consommateur, accueil de la clientèle, etc.).

Qualités et aptitudes développées
Spécifiques à l'option marketing
- Sens de l'argumentation (capacité de vendre ses idées) • Goût du public
- Débrouillardise • Polyvalence • Sens de la créativité

Postes occupés
- Technicien en administration, option marketing
- Agent commercial
- Gérant ou assistant-gérant de commerce
- Assistant au directeur de la promotion
- Agent d'administration
- Agent de publicité
- Acheteur
- Assistant d'activités de recherches commerciales
- Représentant des ventes
- Responsable de la mise en marché
- Agent de services à la clientèle

Indicateur du placement 1988 à 1993
Sortants répondants se destinant à l'emploi: 1086
Total des répondants en emploi: 950   87%

Salaire en 1993
Initial moyen: 9,10 $/heure
Initial supérieur: 11,50 $/heure

Lieux de formation et de recrutement
Communiquez avec les cégeps suivants:

Ahuntsic	Joliette-De Lanaudière	Rivière-du-Loup
André-Laurendeau	Jonquière	Rosemont
de Bois-de-Boulogne	Limoilou	Ste-Foy
Champlain (St-Lambert)	Lionel-Groulx	St-Jean-sur-Richelieu
Champlain (St-Lawrence)	Maisonneuve	St-Laurent
Chicoutimi	Montmorency	Sherbrooke
Collège Français	O'Sullivan de Montréal	Trois-Rivières
Dawson	Rimouski	Valleyfield
Édouard-Montpetit		

TECHNIQUES ADMINISTRATIVES / PERSONNEL

Définition

Le technicien en administration, option personnel, doit assurer la supervision technico-administrative de certaines activités de soutien administratif, en lien avec les activités d'un service de gestion de ressources humaines. Il peut aussi être appelé à coordonner, diriger et surveiller le travail des employés de bureau dans une unité administrative.

Compétences acquises

- Informer les postulants du résultat de leur évaluation.
- Tenir à jour les documents relatifs au personnel.
- Transmettre aux services concernés les renseignements sur le personnel.
- Répondre aux demandes de renseignements provenant des candidats à l'emploi.
- Enregistrer les jours de maladie et de congé, les gratifications versées, les salaires, etc.
- Établir une description de tâches pour chacun des emplois.
- Former et/ou recycler les employés s'il y a lieu.
- Répartir les tâches auprès du personnel.
- Participer à la sélection du personnel de son unité.
- Contrôler l'assiduité des employés.
- Participer à l'évaluation du personnel.
- Formuler des suggestions visant à améliorer le fonctionnement administratif de son service.

Qualités et aptitudes développées

Spécifiques à l'option personnel

- Sens de l'organisation • Tact • Aptitudes pour la communication • Minutie • Jugement

Postes occupés

- Technicien en administration, option personnel
- Agent de personnel
- Adjoint administratif
- Préposé à l'administration
- Surveillant d'employés de bureau

Indicateur du placement 1988 à 1993

Finissants répondants se destinant à l'emploi:	178	
Total des répondants en emploi:	147	83%

Salaire en 1993

Initial moyen: 8,80 $/heure
Initial supérieur: 10,60 $/heure

Lieux de formation et de recrutement

Communiquez avec les cégeps suivants:
Jonquière
Limoilou
Maisonneuve

TECHNIQUES ADMINISTRATIVES/ FINANCE 410.03

Définition

Le technicien en administration, option finance, exécute des tâches d'enregistrement des transactions financières jusqu'à la présentation d'états financiers. Il donne des conseils quant aux décisions à prendre sur des projets d'investissement et sur le choix des sources de financement appropriées. Il est aussi habilité à produire des rapports d'impôt.

Compétences acquises

- Tenir les livres comptables en vue de préparer et d'analyser les états financiers.
- Élaborer les budgets et le contrôle budgétaire.
- Conseiller sur des produits financiers.
- Établir différentes analyses (analyse de crédit, de prix de revient, de rentabilité de projet, de coût, de sources de financement, etc.).
- Vérifier les rapports d'impôts.
- Utiliser la micro-informatique à l'aide de logiciels de comptabilité et autres logiciels à usage administratif.

Qualités et aptitudes développées

Spécifiques à l'option finance

• Méthodes de travail efficaces doublées d'un souci pour la précision et l'exactitude • Esprit d'analyse et de synthèse • Aptitudes et goût pour le calcul et la comptabilité • Sens des responsabilités et jugement • Sens de l'organisation et du contrôle

Postes occupés

- Technicien en administration, option finance
- Aide-comptable
- Commis-comptable
- Gérant ou assistant-gérant de commerce
- Agent d'administration
- Commis au prix de revient et au crédit
- Vérificateur
- Préposé à la facturation
- Agent de vérification comptable
- Contrôleur
- Agent d'aide socio-économique
- Commis d'institutions financières
- Conseiller financier

Indicateur du placement 1988 à 1993

Sortants répondants se destinant à l'emploi:	4482	
Total des répondants en emploi:	3885	87%

Salaire en 1993

Initial moyen: 9,40 $/heure
Initial supérieur: 13,30 $/heure

TECHNIQUES ADMINISTRATIVES/ FINANCE

Lieux de formation et de recrutement

Communiquez avec les cégeps suivants:

Abitibi-Témiscamingue
Ahuntsic
Alma
André-Grasset
André-Laurendeau
Baie-Comeau
Beauce-Appalaches
Bois-de-Boulogne
Champlain (Lennoxville)
Champlain (St-Lambert)
Chicoutimi
Collège de l'Assomption
Dawson
Drummondville
Édouard-Montpetit
François-Xavier-Garneau
Gaspésie et des Îles

Granby Haute-Yamaska
Héritage
Joliette-De Lanaudière
Jonquière
La Pocatière
Lévis-Lauzon
Limoilou
Lionel-Groulx
Maisonneuve
Matane
Montmorency
Outaouais
Région de l'Amiante
Rimouski
Rivière-du-Loup
Rosemont

St-Félicien
Ste-Foy
St-Hyacinthe
St-Jean-sur-Richelieu
St-Jérôme
St-Laurent
Sept-Îles
Shawinigan
Sherbrooke
Sorel-Tracy
Trois-Rivières
Valleyfield
Vanier
Victoriaville
Vieux Montréal

TECHNIQUES ADMINISTRATIVES/ GESTION INDUSTRIELLE 410.04

Définition
Le technicien en administration, option gestion industrielle, oeuvre dans le secteur de la fabrication, dans l'industrie manufacturière ou dans les services. Son travail consiste à améliorer l'efficacité et la productivité de l'entreprise.

Compétences acquises
• Planifier et contrôler la production de biens et/ou services.
• Étudier et organiser les postes de travail (études de temps et de mouvements).
• Gérer et contrôler les stocks et les achats.
• Contrôler la qualité des produits offerts.
• Superviser la production.

Qualités et aptitudes développées
Spécifiques à l'option gestion industrielle
• Sens de l'organisation • Maturité et sens des responsabilités • Capacité d'analyse et de synthèse • Goût pour les mathématiques

Postes occupés
• Technicien en gestion industrielle
• Technicien en génie industriel
• Technicien en production
• Agent de relance de production
• Assistant directeur de production.

Indicateur du placement 1988 à 1993
Sortants répondants se destinant à l'emploi: 271
Total des répondants en emploi: 227 84%

Salaire en 1993
Initial moyen: 11,00 $/heure
Initial supérieur: 13,90 $/heure

Lieux de formation et de recrutement
Communiquez avec les cégeps suivants:
Ahuntsic
de Bois-de-Boulogne
Lévis-Lauzon

TECHNIQUES ADMINISTRATIVES/ TRANSPORT

Définition
Le technicien en administration, option transport, oeuvre dans les activités classiques du secteur des transports. Il est affecté à la gestion du mouvement des marchandises (logistique).

Compétences acquises
- Travailler à la gestion du mouvement des marchandises.
- Choisir les services de transport les plus économiques.
- Conseiller les clients sur les moyens de transport à adapter selon la nature des marchandises.
- Effectuer des études de conception et d'organisation relatives aux opérations de transport.
- Coordonner les opérations d'enlèvement, de livraison et de transport des marchandises.
- Préparer les plans d'expédition des marchandises et surveiller les étapes de l'expédition.
- Superviser les équipes de chauffeurs.

Qualités et aptitudes développées
Spécifiques à l'option transport
- Faire des calculs exacts avec rapidité • Aptitudes pour la supervision • Attitude entreprenante

Postes occupés
- Technicien en transport
- Répartiteur
- Tarificateur
- Agent de fret
- Commis à la douane
- Commis à la facturation
- Expert-conseil en transport de la marchandise

Indicateur du placement 1988 à 1993
Sortants répondants se destinant à l'emploi:	166	
Total des répondants en emploi:	145	90%

Salaire en 1993
Initial moyen: 9,90 $/heure
Initial supérieur: 12,10 $/heure

Lieux de formation et de recrutement
Communiquez avec les cégeps suivants:
André-Laurendeau
François-Xavier-Garneau
Lionel-Groulx

TECHNIQUES ADMINISTRATIVES/ GESTION

410.11

Définition
Le technicien en administration, option gestion, supervise et exécute des procédures administratives. Il établit l'ordre de priorité des tâches et coordonne les acquisitions des services administratifs.

Compétences acquises
- Superviser et coordonner les services administratifs et les procédures de bureau et étudier, évaluer et appliquer de nouvelles méthodes de travail.
- Établir l'ordre des priorités des tâches, attribuer le travail au personnel de soutien et s'assurer que les délais sont respectés et que les procédures sont suivies.
- Coordonner et planifier les services administratifs tels que les besoins en locaux, les déménagements, le matériel, les fournitures, les formulaires, la disposition des biens, le stationnement, les services d'entretien et de sécurité.
- Collaborer à la préparation du budget d'exploitation et assurer le contrôle des stocks et le contrôle budgétaire.
- Rassembler des données et préparer des lettres, des manuels et des rapports périodiques et spéciaux.

Qualités et compétences développées
Spécifiques à l'option gestion
- Sens de l'organisation • Tact • Jugement • Esprit d'équipe

Postes occupés
- Technicien en administration, option gestion
- Adjoint administratif
- Technicien en comptabilité
- Technicien en personnel

Indicateur du placement 1988 à 1993
Sortants répondants se destinant à l'emploi: 989
Total des répondants en emploi: 815 82%

Salaire en 1993
Initial moyen: 8,70 $/heure
Initial supérieur: 10,50 $/heure

Lieux de formation et de recrutement
Communiquez avec les cégeps suivants:

Abitibi-Témiscamingue
Alma
André-Laurendeau
de Bois-de-Boulogne
Collège Français
Campus N.D.de Foy
Chicoutimi
Collège d'affaires Ellis
Collège LaSalle
Drummondville
François-Xavier-Garneau
John Abbott
Lévis-Lauzon
Limoilou
de la Gaspésie et des Îles
Marie-Victorin
Montmorency
O'Sullivan
Outaouais
Région de l'Amiante
Rivière-du-Loup
Rosemont
Sherbrooke
St-Félicien
St-Jérôme
Trois-Rivières
Valleyfield
Vanier
Victoriaville
Vieux Montréal

TECHNIQUES ADMINISTRATIVES/ ASSURANCES GÉNÉRALES

Introduction

Ce programme forme des spécialistes des assurances oeuvrant dans les secteurs suivants: distribution des produits, paiement des réclamations et sélection des risques.

Compétences acquises

En tant qu'agent ou courtier d'assurances
• Recruter des clients.
• Renseigner le client sur les différents types de police.
• Calculer au moyen du barème le taux des primes.
• Remplir la proposition d'assurance et prendre les dispositions nécessaires concernant les formalités.

En tant que rédacteur production
• Examiner les états antérieurs de profits et pertes et fixer les tarifs et les règlements qui régissent le travail courant relié à l'assurance.
• Déterminer les conditions du contrat en s'appuyant sur les politiques établies par la société à l'aide des codes, des tarifs et autres sources de référence.
• Établir le montant de l'assurance déjà supporté par la compagnie pour un seul risque ou un ensemble de risques étroitement liés et évaluer les possibilités de pertes attribuables à des catastrophes ou à des assurances excessives.

En tant que rédacteur sinistre
• Étudier les données dont on s'est servi pour régler la réclamation.
• Signaler à l'administration les trop-versés et les moins-payés.
• Consulter des conseillers juridiques au sujet des règlements contestés.

En tant qu'enquêteur des sinistres
• Examiner la formule de réclamation et la police d'assurance.
• Vérifier si les biens qui font l'objet de la réclamation sont couverts par la police d'assurance.
• Mener une enquête sur les circonstances du sinistre ou du vol.
• Rédiger un rapport de ses constatations.
• Négocier un règlement avec le demandeur.
• Préparer la preuve en vue du procès en cas de litige.

Qualités et compétences acquises

Spécifiques à l'option assurances
• Diplomatie • Persévérance • Capacité de persuasion • Jugement

Postes occupés

• Agent ou courtier d'assurance
• Rédacteur production
• Rédacteur sinistre
• Enquêteur des sinistres

Indicateur du placement 1988 à 1993

Sortants répondants se destinant à l'emploi:	323	
Répondants en emploi:	289	89%

Salaire en 1993

Initial moyen: 10,00 $/heure
Initial supérieur: 13,70 $/heure

Lieux de formation et de recrutement

Communiquez avec les cégeps suivants:
Ste-Foy
Vieux Montréal

Définition

L'archiviste médical assume toutes les responsabilités relatives à la gestion, au traitement, à l'accès et à la protection de l'information contenue dans le dossier de santé d'un usager des services de santé et services sociaux.

Compétences acquises

Volet professionnel

- Analyser le dossier afin de s'assurer de la présence et de la conformité des renseignements nécessaires à la constitution d'un dossier de santé exact et complet.
- Coder et répertorier les éléments du dossier à des fins de statistiques et de recherche.
- Recueillir, interpréter et publier les statistiques médicales, sociales, communautaires et administratives.
- Assurer l'accessibilité du dossier de l'usager aux personnes autorisées conformément aux lois, règlements et politiques relatives à la confidentialité.
- Collaborer avec l'équipe multidisciplinaire à la recherche et aux différents comités.
- Sélectionner et présenter différents dossiers au comité d'évaluation à des fins d'études.
- Représenter l'usager et l'établissement devant les cours de justice.

Volet administratif

- Assurer la conception du dossier.
- Collaborer à l'élaboration, l'implantation et au fonctionnement d'un système informatisé de collecte de données.
- Assumer la gestion des documents sous sa responsabilité.
- Administrer le service des archives médicales.
- Coordonner le service d'accueil ou autre selon les besoins de l'établissement.

Qualités et aptitudes développées

• Intérêt pour les sciences médicales • Esprit d'équipe • Capacité de concentration • Esprit méthodique, souci du détail et de la précision • Esprit d'analyse et de synthèse • Bon jugement • Sens des responsabilités et discrétion (respect du secret professionnel) • Aptitudes pour le travail administratif

Poste occupé

• Archiviste médical

Indicateur du placement 1988 à 1993

Sortants répondants se destinant à l'emploi:	249	
Total des répondants en emploi:	233	94%

Salaire en 1993

Initial moyen: 13,80 $/heure
Initial supérieur: 14,30 $/heure

Lieux de formation et de recrutement

Communiquez avec les cégeps suivants:
Ahuntsic
Collège Laflèche

TECHNIQUES DE BUREAU

Définition

Le technicien en bureautique accomplit différentes tâches administratives reliées à la gestion et à la communication de l'information dans un bureau. Il est aussi apte à traiter les données: tenue de livres, conception de bases de données et conception de chiffriers électroniques. Enfin, son rôle consiste souvent à enseigner l'utilisation des logiciels, organiser des postes de travail, normaliser des procédés et méthodes et dépanner lors de l'utilisation de logiciels.

Compétences acquises

- Utiliser les logiciels d'application pour la gestion et la production de l'information textuelle et le traitement des données.
- Résoudre des problèmes courants reliés au matériel informatique et à l'utilisation de logiciels.
- Recueillir les données, les compiler, les traiter et produire les rapports pour l'aide à la gestion.
- Établir et tenir un système de gestion des documents dans une unité de bureau.
- Compiler des statistiques et produire les graphiques pour les incorporer dans un rapport.
- Concevoir un plan de formation et faire la formation pour l'utilisation d'un nouveau logiciel, d'une nouvelle application.
- Être en mesure de dépanner les usagers sur les logiciels d'application (traitement de texte, graphisme d'affaires, traitement de données et autres).

Qualités et aptitudes développées

• Sens des responsabilités et autonomie • Sens de l'organisation • Capacité de planification • Capacité de travailler en équipe • Capacité d'adaptation • Esprit critique • Capacité d'analyse et de synthèse

Postes occupés

- Technicien en bureautique
- Secrétaire (de direction, administrative, médicale, légale, comptable)
- Adjoint administratif

Indicateur du placement 1988 à 1993

Sortants répondants se destinant à l'emploi: 4 722
Total des répondants en emploi: 4 234   90%

Salaire en 1993

Initial moyen: 8,90 $/heure
Initial supérieur: 12,00 $/heure

Lieux de formation et de recrutement

Communiquez avec les cégeps suivants:

Abitibi-Témiscamingue	Édouard-Montpetit	Région de l'Amiante
André-Laurendeau	François-Xavier-Garneau	Rimouski
Baie-Comeau	Granby Haute-Yamaska	Rivière-du-Loup
Bart	Héritage	Rosemont
Champlain (Lennoxville)	John Abbott	St-Jean-sur-Richelieu
Champlain (St-Lambert)	Joliette-De Lanaudière	St-Jérôme
Champlain (St-Lawrence)	Jonquière	St-Laurent
Chicoutimi	La Pocatière	Shawinigan
Collège d'affaires Ellis	Lévis-Lauzon	Sherbrooke
Collège LaSalle	Limoilou	Sept-Îles
Collège Moderne 3-R	Lionel-Groulx	Sorel-Tracy
Coll. sec. Notre-Dame	Maisonneuve	Trois-Rivières
Dawson	Matane	Valleyfield
de Bois-de-Boulogne	Montmorency	Vanier
de la Gaspésie et des Îles	O'Sullivan de Montréal	Victoriaville
Drummondville	O'Sullivan de Québec	
École commerciale du Cap	Outaouais	

ADMINISTRATION ET COOPÉRATION   413.01

Définition
Le technicien en administration et coopération est un spécialiste des techniques de l'administration générale qui traite de problèmes diversifiés dans des entreprises du milieu coopératif.

Compétences acquises
- Effectuer les transactions courantes de l'entreprise coopérative; tenue de caisse, enregistrement des opérations quotidiennes, etc.
- Offrir les produits et/ou services de l'entreprise coopérative.
- Appliquer les politiques et les procédures concernant l'épargne spécialisée et le crédit.
- Collaborer à la préparation des états financiers et à la confection du budget et de son suivi.
- Assurer un contrôle comptable des opérations.
- Analyser et interpréter les rapports financiers et de gestion manuels et informatisés.

Qualités et aptitudes développées
- Sens de l'organisation • Esprit d'équipe • Tact • Jugement pour la communication

Postes occupés
- Technicien en administration et coopération
- Conseiller financier

Indicateur du placement 1988 à 1993
Sortants répondants se destinant à l'emploi:	103	
Total des répondants en emploi:	97	94%

Salaire en 1993
Initial moyen:	n.d. $/heure
Initial supérieur:	n.d. $/heure

Lieux de formation et de recrutement
Communiquez avec les cégeps suivants:
Collège de Lévis
Collège Laflèche
Collège André-Grasset
Marie-Victorin
Séminaire de Sherbrooke

TOURISME

Définition

Le technicien en tourisme est un spécialiste qui travaille activement à la promotion de l'industrie du tourisme d'une région. Il organise différentes activités afin de mettre en valeur, dans le cadre du développement, les attraits touristiques (artisanat régional, gastronomie locale, etc.) du milieu.

Compétences acquises

- Étudier les recommandations des comités d'études sur le tourisme.
- Élaborer des circuits touristiques, organiser des excursions, etc.
- Faire la promotion des attractions et des services touristiques.
- Faire les réservations (transport, hébergement, restauration, activités).
- Guider les visiteurs et leur faire découvrir la ville, la région, le pays.
- Accompagner les groupes dans leurs déplacements.
- Réaliser des campagnes de promotion et de publicité.

Qualités et aptitudes développées

- Courtoisie • Tact • Patience • Imagination • Dynamisme

Postes occupés

- Technicien en tourisme
- Agent de promotion et de développement
- Commis au comptoir d'aéroport
- Préposé à l'accueil
- Analyste touristique
- Agent de réservation
- Conseiller en voyage
- Guide touristique

Indicateur du placement 1988 à 1993

Sortants répondants se destinant à l'emploi:	764	
Total des répondants en emploi:	715	94%

Salaire en 1993

Initial moyen:	8,90 $/heure
Initial supérieur:	12,00 $/heure

Lieux de formation et de recrutement

Communiquez avec les cégeps suivants:
Champlain/St-Lambert
Collège Laflèche
Collège LaSalle
Collège Mérici
Granby Haute-Yamaska
Institut de tourisme et d'hôtellerie du Québec
Matane
Montmorency
Saint-Félicien

INFORMATIQUE

Définition
Le technicien en informatique élabore, développe, installe et gère des systèmes informatisés. Les compétences et connaissances acquises lui permettent d'oeuvrer aussi bien en micro-informatique que dans des environnements de grande puissance.

Compétences acquises
• Analyser des besoins, rechercher des solutions appropriées et proposer des systèmes adéquats.
• Concevoir des bases de données, les mettre en place et en gérer l'utilisation rationnelle.
• Recueillir et organiser les données requises pour les traitements, puis diffuser les résultats.
• Écrire et tester des programmes et des systèmes.
• Mettre en place des systèmes d'information.
• Documenter les systèmes informatiques utilisés.
• Former les personnes à l'utilisation des équipements informatiques et des logiciels des différents systèmes.
• Entretenir et améliorer les systèmes informatiques existants.
• Expérimenter des programmes en vue de faire un choix.
• Recommander et installer des équipements de micro-informatique.
• Installer et gérer un réseau de micro-ordinateurs.
• Utiliser les télécommunications pour effectuer des transmissions et des échanges de données avec le monde extérieur.
• Effectuer toutes les opérations nécessaires à l'intégrité et à la sécurité des données et des logiciels pertinents au bon fonctionnement de l'entreprise.

Qualités et aptitudes développées
Honnêteté et responsabilité • Esprit méthodique et logique • Aptitude à travailler en équipe • Sens de la communication dans un langage simple et facile à comprendre • Autonomie et capacité d'adaptation aux changements

Postes occupés
• Technicien en informatique
• Programmeur et programmeur-analyste
• Consultant en micro-informatique
• Gestionnaire de bases de données
• Gestionnaire de réseaux
• Représentant technique

Indicateur du placement 1988 à 1993
Sortants répondants se destinant à l'emploi: 2 443
Total des répondants en emploi: 2 136   87%

Salaire en 1993
Initial moyen: 12,30 $/heure
Initial supérieur: 15,50 $/heure

Lieux de formation et de recrutement
Communiquez avec les cégeps suivants:

Abitibi-Témiscamingue	Édouard-Montpetit	Lionel-Groulx	St-Jean-sur-Richelieu
Ahuntsic	François-Xavier-Garneau	Maisonneuve	St-Jérôme
Alma	de la Gaspésie et des Îles	Montmorency	St-Laurent
André-Laurendeau	Héritage	Outaouais	Shawinigan
Beauce-Appalaches	Matane	Région de l'Amiante	Sherbrooke
de Bois-de-Boulogne	Granby Haute-Yamaska	Rimouski	Sorel-Tracy
Champlain (Lennoxville)	John Abbott	Rivière-du-Loup	Trois-Rivières
Champlain (St-Lambert)	Joliette-De Lanaudière	Rosemont	Valleyfield
Chicoutimi	Jonquière	St-Félicien	Vanier
Collège Français	La Pocatière	Ste-Foy	Victoriaville
Dawson	Lévis-Lauzon	St-Hyacinthe	Vieux Montréal
Drummondville	Limoilou	Sept-Îles	

TECHNIQUES DE GESTION HÔTELIÈRE

Définition

Le technicien en gestion hôtelière reçoit une formation qui lui permet de gérer, au niveau opérationnel, les ressources humaines, matérielles, financières et informationnelles d'établissement hôtelier de façon à produire des services de qualité pour les clients et pour la rentabilité de l'unité d'hébergement.

Compétences acquises

- Accueillir et servir la clientèle.
- Gérer les tâches du personnel affecté à son secteur.
- Gérer et contrôler les besoins en matières premières et en main-d'oeuvre.
- Commercialiser les produits et les services d'un établissement hôtelier.
- Coordonner les activités hôtelières.
- Contrôler les ventes et les dépenses.

Qualités et aptitudes développés

- Respect de la clientèle • Sens de la planification et des responsabilités • Attitudes et comportements autonomes • Bonne connaissance de la langue française et anglaise • Maintien et tenue vestimentaire soignés et appropriés

Postes occupés

- Technicien en gestion hôtelière
- Responsable de la réception
- Superviseur de la salle à manger
- Maître d'hôtel aux banquets
- Auditeur de nuit
- Assistant à la gouvernante
- Contrôleur de biens et services

Indicateur du placement de 1988 à 1993

Sortants répondants se destinant à l'emploi:	499	
Total des répondants en emploi:	469	94%

Salaire en 1993

Initial moyen: 10,80 $/heure
Initial supérieur: 14,60 $/heure

Cégeps offrant le programme

Collège LaSalle
Collège Mérici
Institut de tourisme et d'hôtellerie du Québec

TECHNIQUES DE GESTION DES SERVICES ALIMENTAIRES ET DE RESTAURATION

430.02

Définition

Le technicien en gestion des services alimentaires et de restauration offre une double expertise soit la gestion et la cuisine. Cette formation spécialisée lui permet de gérer efficacement les opérations des divers types d'entreprises de restauration ou de services alimentaires. Ainsi, son rôle est d'agencer stratégiquement les ressources humaines, matérielles, financières et informationnelles de l'entreprise de façon à produire et distribuer des services susceptibles, à la fois, de satisfaire la clientèle et d'assurer la rentabilité de l'unité ou l'équilibre budgétaire.

Compétences acquises

- Standardiser des recettes en fonction d'objectifs spécifiques.
- Concevoir et gérer divers types de menus.
- Gérer les approvisionnements en denrées alimentaires et boissons.
- Gérer la production et le service/distribution des mets et des boissons.
- Contrôler la qualité des services produits.
- Contrôler les coûts et les ventes de l'entreprise.
- Gérer les tâches du personnel de son secteur, incluant leur entraînement au travail.

Qualités et aptitudes développées

- Polyvalence • Sens de l'organisation • Réaction pondérée face aux imprévus • Souci de la qualité du produit fini • Capacité de travailler en équipe • Qualité de la communication

Postes occupés

- Technicien en gestion des services alimentaires et de restauration
- Gérant
- Assistant-gérant de restauration ou de bar
- Chef de la production alimentaire
- Technicien en approvisionnement ou en standardisation
- Cuisinier

Indicateur du placement 1988 à 1993

Sortants répondants se destinant à l'emploi: 180
Total des répondants en emploi: 171   95%

Salaire en 1993

Initial moyen: 9,70 $/heure
Initial supérieur: 12,40 $/heure

Lieu de formation et de recrutement

Communiquez avec l'Institut de tourisme et d'hôtellerie du Québec et le Collège LaSalle.

LES ARTS ET
LES COMMUNICATIONS
GRAPHIQUES

MUSIQUE POPULAIRE 551.02

Introduction

Le programme musique populaire fournit les bases nécessaires à ceux qui désirent s'orienter vers la musique populaire, commerciale et folklorique, classique ou jazz.

Compétences acquises

En tant qu'arrangeur

- Transcrire des oeuvres musicales ou des thèmes mélodiques pour les adapter, les modifier ou créer un style particulier pour un orchestre, une formation, un ensemble vocal ou un soliste.
- Se familiariser avec l'oeuvre à adapter en la jouant sur un instrument.
- Imaginer des effets pour des formations variées d'instruments, de voix, de structures harmoniques, de rythmes, de tempos et de puissance musicale.
- Choisir les instruments ou les voix à utiliser pour obtenir le style et l'effet voulu, grâce à sa connaissance de leur registre, de leurs traits particuliers, de leurs limites et tonalités, ainsi que des talents des exécutants.
- Annoter l'oeuvre originale en fonction du choix ou écrire un arrangement sur du papier à musique.

En tant qu'orchestrateur

- Faire l'orchestration d'un arrangement musical, pour un orchestre, une formation musicale, une chorale ou un exécutant et en transposant la musique d'un moyen d'expression à un autre.
- Transposer d'un instrument ou d'une voix à l'autre et adapter la musique à une instrumentation particulière ou la composition d'un ensemble, grâce à sa connaissance des registres, des particularités, des limites et des tonalités d'un instrument ou d'une voix.
- Améliorer la puissance, le tempo et les effets harmoniques grâce à sa connaissance de la théorie musicale, de l'harmonie, de la forme musicale, des nuances et de la notation.
- Copier des partitions individuelles pour les exécutants d'un ensemble.

En tant que compositeur de musique pour annonces publicitaires

- Composer la musique pour la trame sonore d'une annonce publicitaire (jingle).

En tant que chanteur populaire

- Chanter des chansons en langue populaire pour divertir des auditoires.
- Étudier et répéter de la musique et des arrangements spéciaux avant de les exécuter.
- Pouvoir s'accompagner sur un instrument de musique.

En tant que musicien de studio

- Jouer d'un instrument dans un orchestre à la radio ou à la télévision, dans un studio d'enregistrement de disques, de bandes sonores de films ou d'annonces publicitaires.

Qualités et aptitudes développées

- Sensibilité • Sens artistique • Patience • Persévérance • Aptitude pour la communication • Sens du rythme • Mémoire musicale développée

Postes occupés: voir ci-haut

Indicateur du placement 1988 à 1993

Sortants répondants se destinant à l'emploi: n.d.
Total des répondants en emploi: n.d.

Salaire en 1993

Initial moyen: n.d.$/heure
Initial supérieur: n.d.$/heure

Lieux de formation et de recrutement

Communiquez avec les cégeps suivants:

Alma
Campus Notre-Dame-De-Foy
Drummondville
Lionel-Groulx

Marie-Victorin
St-Laurent
Vanier

THÉÂTRE
PROFESSIONNEL   561.01 561.02 561.03 561.04

Introduction

Ces programmes préparent les étudiants à oeuvrer dans les domaines de la radiotélévision, des arts de la scène et du cinéma. Ils forment des comédiens, des professionnels de la production que les compagnies de théâtre, de cinéma, de publicité et de spectacles engagent, pour assumer la technique, la régie, etc., du personnel technique associé à la conception ainsi que des concepteurs de décors et de costumes.

Compétences acquises

En tant que comédien (561.01, Interprétation)
• Être en mesure de faire naître un personnage devant son auditoire afin d'assurer une appréciation de celui-ci.

Qualités et aptitudes développées
• Sens artistique • Sensibilité • Imagination • Discipline • Esprit d'équipe.

En tant que producteur (561.02, Production)
Compétences acquises
• Développer des habilités théoriques et pratiques de la production dans les domaines suivants: dramaturgie, conception spatiale et picturale, scénographie, techniques scéniques.
• Participer avec les étudiants d'interprétation à la présentation de pièces devant le public.
• Développer des connaissances pratiques dans la conception de décors, de costumes, d'accessoires de plans d'éclairage, de bandes sonores et d'effets spéciaux et dans la gestion financière et matérielle des productions.

Qualités et aptitudes développées
• Sens artistique • Sensibilité • Imagination • Discipline • Esprit d'équipe • Bonne mémoire

En tant que décorateur (561.03, Conception)
• Préparer des plans détaillés et des maquettes montrant la disposition des éléments de décor.
• Concevoir et élaborer, en vue de la réalisation et de concert avec un metteur en scène, une maquette et des plans détaillés d'un ensemble homogène d'éléments de décor pour un espace scénique donné et pour un texte ou un projet précis.

En tant que costumier (561.03, Conception)
• Concevoir et élaborer, en vue de la réalisation et de concert avec un metteur en scène, des maquettes de costumes répondant à la psychologie des personnages ainsi qu'à leur époque.
Le programme 561.03 forme également des fabricants ou peintres de décors, des chefs d'ateliers, des accessoristes, etc.

Qualités et aptitudes développées
• Imagination • Sens artistique • Sensibilité

En tant qu'assistant metteur en scène (561.04, Techniques scéniques ou 561.02, Production)
• Assister le metteur en scène jusqu'à la première et par des moyens techniques à élaborer et finaliser la mise en scène.

En tant que régisseur (561.04, Techniques scéniques)
• Prendre le spectacle en main dès son entrée en salle de spectacle et s'en occuper jusqu'à la dernière représentation.
• Vérifier, faire appliquer ou appliquer avec exactitude conformément aux indications du metteur en scène, de son assistant et du concepteur, tous les détails de la mise en scène.

En tant que directeur de production (561.04, Techniques scéniques)
• Préparer, surveiller et gérer un spectacle au niveau technique et financier.

En tant que directeur technique (561.04, Techniques scéniques)
• Participer à l'élaboration, l'organisation et à la coordination d'une production.
• Représenter le directeur de production.
• Régler les problèmes techniques.

En tant que concepteur d'éclairage (561.04, Techniques scéniques)
• Concevoir les éclairages.

Autres qualités personnelles
• Sens de l'organisation • Minutie • Ordre • Aptitudes pour la communication

Postes occupés
Voir ci-haut.

Indicateur du placement 1988 à 1993 (561.01, Interprétation)
Sortants répondants se destinant à l'emploi: 63
Total des répondants en emploi: 52   83%

Lieux de formation et de recrutement
Communiquez avec les cégeps suivants:
Dawson   John Abbott   Lionel-Groulx   Saint-Hyacinthe

Indicateur du placement 1988 à 1993 (561.02, Production)
Sortants répondants se destinant à l'emploi: 29
Total des répondants en emploi: 26   90%

Lieux de formation et de recrutement
Communiquez avec les cégeps suivants:
John Abbott   Saint-Hyacinthe

Indicateur du placement 1988 à 1993 (561.03, Conception)
Sortants répondants se destinant à l'emploi: 4
Total des répondants en emploi: 2   50%

Lieu de formation
Communiquez avec le cégep Lionel-Groulx

Indicateur du placement 1988 à 1993 (561.04, Techniques scéniques)
Sortants répondants se destinant à l'emploi: n.d.
Total des répondants en emploi: n.d.

Lieu de formation
Communiquez avec le cégep Lionel-Groulx.

DANSE-BALLET 561.06

Introduction

Ce programme forme des danseurs professionnels en danse classique et contemporaine en utilisant leurs corps comme instrument pour interpréter les sentiments humains et ce, sous forme de lignes, pas et mouvements, composés ou réglés soit par les chorégraphes ou les maîtres de ballet.

Compétences acquises

En tant que danseur de ballet
- Mémorisation des pas à exécuter.
- Connaissance musicale et d'interprétation.
- Perfectionnement technique.
- Collaboration au travail créatif d'un oeuvre chorégraphique.
- Connaissance du répertoire traditionnel et contemporain.
- Expérience scénique.
- Assumer toutes les exigences dictées par la production (activités publicitaires, séances de photos, essayages divers, etc.)
- Connaissance chorégraphique de base.

En tant qu'instructeur de ballet
- Connaissance, compréhension et application du cursus pédagogique de l'École supérieure de danse du Québec en ballet classique.
- Intégration et décomposition des différentes approches techniques et méthodes d'enseignement.
- Planification et animation d'un cours de danse pour susciter l'intérêt, la motivation tant en favorisant un rendement technique, assurant un bon développement musculaire et le développement personnel.
- Identification des déficiences corporelles chez les individus et connaissance des causes et moyens pour y remédier.
- Connaissance chorégraphique et scénique.

Qualités et aptitudes développées

• Maîtrise de la technique et de son corps • Conscience artistique • Santé morale et physique • Précision technique • Compréhension anatomique • Compréhension de l'articulation et de la résistance musculaire • Nuance musicale • Passion et dynamisme

Postes occupés

- Danseur classique et contemporain
- Instructeur de danse classique

Indicateur du placement 1988 à 1993

Sortants répondants se destinant à l'emploi: n.d.
Total des répondants en emploi: n.d.

Salaire en 1993

Initial moyen: 15,10 $/heure
Initial supérieur: n.d. $/heure

Lieu de formation et de recrutement

Communiquez avec le cégep du Vieux Montréal.

DESIGN DE PRÉSENTATION

Introduction
Ce programme forme des spécialistes du design tels que: technicien en présentation visuelle, maquettiste, décorateur-étalagiste et décorateur-concepteur (cinéma, télévision, théâtre).

Compétences acquises
• Comprendre les besoins de présentation visuelle pour divers produits.
• Concevoir des vitrines, des étalages, des kiosques d'exposition et des décors pour des événements particuliers.
• Dessiner les croquis et les plans.
• Choisir les matériaux et les couleurs appropriés.
• Réaliser des vitrines, des étalages, des kiosques d'exposition, des décors et des présentations muséologiques ou voir à leur réalisation.

Qualités et aptitudes développées
• Imagination • Créativité • Sens esthétique • Initiative • Débrouillardise • Minutie • Entregent • Patience • Souplesse de caractère

Postes occupés
• Technicien en présentation visuelle
• Maquettiste
• Décorateur-étalagiste
• Décorateur
• Décorateur-concepteur
• Chef accessoiriste

Indicateur du placement 1988 à 1993
Sortants répondants se destinant à l'emploi: 217
Total des répondants en emploi: 195   90%

Salaire en 1993
Initial moyen: 8,50 $/heure
Initial supérieur: 11,70 $/heure

Lieux de formation et de recrutement
Communiquez avec les cégeps suivants:
Dawson
Rivière-du-Loup
Ste-Foy
Vieux Montréal

DESIGN D'INTÉRIEUR

Définition

Le designer d'intérieur crée et réalise des concepts d'aménagement d'intérieur fonctionnel, esthétique et adapté aux personnes, dans des immeubles de type résidentiel, commercial, institutionnel et même industriel. Il travaille pour des compagnies de design, des bureaux d'architectes, des compagnies de fabrication de mobilier, d'équipements et d'accessoires, des établissements de vente au détail, des promoteurs immobiliers et éventuellement, à son propre compte.

Compétences acquises

- Dialoguer avec des clients pour déterminer leurs besoins, les fonctions spécifiques des espaces concernés, leur mobilier, leurs équipements et leurs accessoires.
- Développer des concepts d'aménagement répondant à tous les aspects retenus.
- Présenter aux clients le ou les concepts proposés sous forme de dessin ou maquette.
- Produire des plans et des tableaux de spécification détaillés régissant la construction intérieure et le choix des matériaux, des couleurs, de l'éclairage, du mobilier, des équipements, des accessoires, ainsi que leur disposition dans l'espace.
- Rédiger les devis d'exécution nécessaires à la réalisation du projet selon les règles de l'art et en conformité avec les codes en vigueur.
- Évaluer les coûts de construction et d'achat.
- Superviser la réalisation complète de la construction et de l'aménagement.

Qualités et aptitudes développées

• Imagination et créativité • Sens de l'esthétique et du détail • Empathie (capacité de se mettre à la place de l'autre) • Bonne perception de l'espace intérieur • Sens de l'organisation • Sens des responsabilités • Intérêt pour la qualité de vie reliée aux espaces intérieurs

Postes occupés

- Designer d'intérieur
- Décorateur-assemblier
- Dessinateur-modéliste
- Dessinateur
- Conseiller-vendeur

Indicateur du placement 1988 à 1993

Sortants répondants se destinant à l'emploi:	629	
Total des répondants en emploi:	541	86%

Salaire en 1993

Initial moyen: 7,60 \$/heure
Initial supérieur: 11,90 \$/heure

Lieux de formation et de recrutement

Communiquez avec les cégeps suivants:
Collège de l'Assomption
Dawson
François-Xavier-Garneau
Marie-Victorin
Outaouais
Rivière-du-Loup
St-Jean-sur-Richelieu
Trois-Rivières
Vieux Montréal

PHOTOGRAPHIE

Définition

Le photographe est un artisan dont le métier est de photographier des gens, des lieux ou des objets et de développer ses photographies par des procédés de laboratoire en tenant compte des types d'appareils et de films, en vue de créations artistiques ou de productions commerciales.

Compétences acquises

• Concevoir l'image à produire et imaginer un résultat en fonction des objectifs de production.
• Étudier les conditions du travail demandé et déterminer le genre d'appareil et les accessoires nécessaires.
• Analyser les conditions d'éclairage et choisir les systèmes d'éclairage artificiel appropriés.
• Transporter le matériel sur les lieux de prise de vue.
• Choisir un arrière-plan convenable et installer les équipements.
• Mesurer les luminances du sujet et la valeur de la lumière incidente en se servant d'un posemètre ou d'un flashmètre.
• Charger l'appareil d'une pellicule en rouleau ou d'un plan-film et régler l'ouverture du diaphragme et la vitesse d'obturation.
• Porter la pellicule en chambre noire, préparer les produits négatifs et en tirer des épreuves par contacts et par agrandissement.
• Utiliser à bon escient les principes de la composition photographique.
• Maintenir en contrôle les procédés noir et blanc et couleur.
• Utiliser les techniques d'éclairage, de reproduction, d'effets spéciaux, de retouches, de présentation et de traitement d'image par ordinateur.

Qualités et aptitudes développées

• Sensibilité visuelle • Intuition • Esprit d'observation • Sens esthétique • Créativité
• Imagination • Détermination • Persévérance • Courtoisie • Minutie • Flexibilité
• Grande capacité d'adaptation

Postes occupés

• Photographe
• Photographe publicitaire ou commercial
• Photographe de presse
• Photographe de mode, d'architecture, scientifique, médical, d'art, etc.

Indicateur du placement 1988 à 1993

Sortants répondants se destinant à l'emploi:	120	
Total des répondants en emploi:	105	88%

Salaire en 1993

Initial moyen: n.d. $/heure
Initial supérieur: n.d. $/heure

Lieux de formation et de recrutement

Communiquez avec les cégeps suivants:
Dawson
Matane
Vieux Montréal

GRAPHISME 570.06

Définition

Le graphiste est celui dont le métier consiste à créer les images fonctionnelles et les éléments de communication visuelle qui nous entourent, qu'il s'agisse d'une affiche d'une publicité, du design d'une revue, de l'identification visuelle d'une compagnie ou d'un emballage.

Son travail est directement relié au monde des communications. Ses responsabilités consistent à créer, choisir et organiser de façon efficace et communicative les composantes visuelles possibles (dessin, photographie, couleur et éléments typographiques) de toute communication nécessitant un support visuel pour sa diffusion.

Compétences acquises

• Recevoir une commande et en analyser le contenu.
• Préparer un devis de production.
• Créer, choisir et organiser les différentes composantes d'une communication visuelle: dessin, couleur, caractères typographiques, etc.
• Maîtriser outils et techniques de production dont l'informatique.
• Présenter au client sous forme de maquette les différents éléments visuels du projet: carte d'affaires, image corporative, affiche, etc.
• Préparer la production du matériel et réaliser les prêts à photographier.
• Superviser la production du matériel chez les intervenants (principalement imprimeurs et photograveurs).

Qualités et aptitudes développées

• Curiosité intellectuelle • Imagination et créativité • Sens de l'esthétique • Rigueur et méthode de travail • Intérêt accru pour le monde de l'information et de la publicité

Postes occupés

• Graphiste
• Infographiste

Indicateur du placement 1988 à 1993

Sortants répondants se destinant à l'emploi:	618	
Total des répondants en emploi:	502	81%

Salaire en 1993

Initial moyen: 9,60 $/heure
Initial supérieur: 13,80 $/heure

Lieux de formation et de recrutement

Communiquez avec les cégeps suivants:
Ahuntsic
Dawson
Marie-Victorin
Rivière-du-Loup
Ste-Foy
Sherbrooke
Vieux Montréal

TECHNIQUES DE DESIGN INDUSTRIEL   570.07

Définition

Le technicien en design industriel est un spécialiste qui assiste le designer dans la conception et le développement de produits manufacturés en série. Pour ce faire, il doit recueillir un ensemble de données, les absorber et les transformer en un objet qui soit réalisable, fonctionnel et esthétique, cela, en tenant compte de contraintes établies: coûts, délais, marché visé.

Compétences acquises

• Étudier les spécifications techniques, se renseigner sur les limitations de coût, les matières disponibles et les méthodes de production, les préférences des utilisateurs, ainsi que les autres facteurs qui influent sur la conception du modèle.
• Préparer les épures, devis, dessins, perspectives et maquettes nécessaires à la fabrication industrielle.
• Transposer en plan, élévation et détails techniques les esquisses du concepteur
• Créer sous la direction du designer, les prototypes des objets en tenant compte à la fois de critères esthétiques et des contraintes techniques.
• Préparer des plans détaillés pour la production en série.

Qualités et aptitudes développées

• Créativité • Imagination • Originalité • Sens esthétique • Minutie • Habiletés de communication

Postes occupés

• Technicien en design industriel
• Maquettiste
• Illustrateur technique
• Dessinateur
• Correcteur de dessin (assisté par ordinateur ou non)

Indicateur du placement 1988 à 1993

Sortants répondants se destinant à l'emploi: 155
Total des répondants en emploi: 131   85%

Salaire en 1993

Initial moyen: 9,70 $/heure
Initial supérieur: 10,30 $/heure

Lieux de formation et de recrutement

Communiquez avec les cégeps suivants:
Dawson
Ste-Foy
Vieux Montréal

TECHNIQUES DE MUSÉOLOGIE 570.09

Définition

Le technicien en muséologie travaille dans des musées, des centres d'exposition, des sites et parcs historiques, des centres d'interprétation, des centres d'archives, des galeries d'art. Il veille à protéger les biens culturels en exposition, en transit ou en réserve. Il aménage les espaces d'expositions et apporte un soutien technique à l'enregistrement et au catalogage des biens acquis.

Compétences acquises

- Protéger les divers biens culturels en respect des pratiques et des normes de conservation préventive.
- Participer à l'aménagement d'espaces muséaux.
- Effectuer le montage d'expositions.
- Assurer le soutien technique et l'entretien des collections au cours d'une exposition.
- Effectuer la mise en réserve des biens culturels.
- Apporter un soutien technique à l'enseignement et au catalogage des biens culturels en utilisant les systèmes manuels et informatisés.
- Installer et entretenir des équipements, tels les appareils audiovisuels, les installations multimédias et les appareils de mesure de conditions environnementales.
- Emballer et mettre en transport les biens culturels.

Aptitudes et qualités développées

- Excellente dextérité manuelle et précision du geste • Sens de l'esthétique et du travail bien fait • Ordre et propreté • Rapidité d'exécution • Facilité à résoudre des problèmes

Postes occupés

- Technicien en muséologie

Indicateur du placement 1988 à 1993

Sortants répondants se destinant à l'emploi: n.d.
Total des répondants en emploi: n.d.

Salaire en 1993

Initial moyen: n.d. $/heure
Initial supérieur: n.d. $/heure

Lieu de formation et de recrutement

Communiquez avec le cégep Montmorency.

GESTION DE LA PRODUCTION DU VÊTEMENT 571.03

Définition
Le coordonnateur ou le responsable de la production de mode est un spécialiste dans l'industrie manufacturière du vêtement qui, selon le programme de production, fait la planification, le marketing, le contrôle statistique de la qualité et de la gestion du personnel. Il coordonne et active la progression du travail des différents ateliers de la manufacture et fait la distribution rationnelle du travail en vue de la fabrication d'articles vestimentaires tout en respectant les délais de production.

Compétences acquises
• Étudier le plan de fabrication et les fiches techniques.
• Préparer un plan pour chaque saison, en collaboration avec le personnel concerné.
• Superviser et contrôler l'ensemble des activités liées à la fabrication.
• Distribuer le travail en fonction des délais de production.

Qualités et aptitudes développées
• Diplomatie • Tact • Sens de l'organisation • Leadership

Postes occupés
• Coordonnateur ou responsable de la production de la mode
• Assistant directeur de production

Indicateur du placement 1988 à 1993
Sortants répondants se destinant à l'emploi: 50
Total des répondants en emploi: 48 96%

Salaire en 1993
Initial moyen: 9,80 $/heure
Initial supérieur: n.d. $/heure

Lieu de formation et de recrutement
Communiquez avec le collège LaSalle.

COMMERCIALISATION DE LA MODE   571.04

Définition

Le coordonnateur de mode (commercialisation) est un spécialiste de la mode qui est responsable de la qualité et de la cohérence de l'arrangement visuel d'une promotion de mode, dans des revues, des journaux, des défilés de mode et des rayons de mode. Il travaille avec les différents intervenants du milieu de la mode afin de satisfaire les besoins vestimentaires des gens ou de stimuler de nouveaux besoins.

Compétences acquises

- Effectuer les principales tâches relatives au bon fonctionnement d'un commerce de mode, d'une usine, d'une boutique ou d'un grand magasin.
- Analyser les besoins du marché.
- Évaluer les fournisseurs et leurs gammes de produits en fonction du prix, de la qualité et du service désiré.
- Préparer les budgets, rédiger les commandes.
- Contrôler les inventaires et la distribution.
- Planifier l'aménagement des locaux et les services à la clientèle.
- Former et motiver le personnel.
- Choisir le style de commercialisation et l'ensemble publicité/promotion/relations publiques qui convient.
- Concevoir et organiser l'ouverture d'un commerce de mode en fonction d'une clientèle-cible, d'une compétition et d'une région définies.

Qualités et aptitudes développées

- Créativité • Discipline • Maîtrise de soi • Énergie • Perspicacité • Sens de l'esthétique
- Flexibilité • Patience • Débrouillardise • Mémoire • Esprit d'équipe

Postes occupés

- Coordonnateur de mode (commercialisation)
- Assistant acheteur
- Assistant styliste
- Assistant gérant de mise en marché
- Représentant des ventes
- Gérant de boutique
- Étalagiste

Indicateur du placement 1988 à 1993

Sortants répondants se destinant à l'emploi: 463
Total des répondants en emploi   443   96%

Salaire en 1993

Initial moyen: 9,20 $/heure
Initial supérieur   n.d. $/heure

Lieux de formation et de recrutement

Communiquez avec les cégeps suivants:
Campus Notre-Dame de Foy
LaSalle
Marie-Victorin

DESIGN DE MODE

Définition

Le dessinateur de mode conçoit des vêtements de qualité et crée des styles et modèles.

Compétences acquises

- Concevoir des vêtements de qualité.
- Créer des styles et des modèles de vêtements répondant aux tendances diverses de la mode ainsi qu'aux besoins des divers marchés-cibles.
- Effectuer des recherches sur les matières utilisées.
- Réaliser les patrons.
- Confectionner les prototypes.

Qualités et aptitudes développées

- Imagination • Discipline • Intuition • Transposition • Créativité • Sens artistique
- Exactitude • Patience • Concentration

Postes occupés

- Dessinateur de mode: CAO, FAO
- Modéliste en vêtements
- Patronnier
- Styliste

Indicateur du placement 1988 à 1993

Sortants répondants se destinant à l'emploi: 540
Total des répondants en emploi: 507   94%

Salaire en 1993

Initial moyen: 8,50 $/heure
Initial supérieur: n.d. $/heure

Lieux de formation et de recrutement

Communiquez avec les cégeps suivants:
Campus Notre-Dame de Foy
Collège LaSalle
Marie-Victorin

Introduction

Le programme de techniques des métiers d'art offre une formation de base en conception d'objets de métiers d'art. Cette formation comprend trois volets: techniques du métier, création-design et gestion-entrepreneur.

Compétences acquises

Outre les compétences techniques particulières à l'option de leur choix, tous les artisans en techniques des métiers d'art ont acquis des compétences de base en dessin, théorie de la couleur, histoire des arts décoratifs, créativité et résolutions des problèmes et éléments de conception visuelle. Ils ont acquis des notions de comptabilité, de gestion d'entreprise artisanale, de marketing en métiers d'art et d'implantation de l'entreprise artisanale. Ainsi, pour un matériau et une technique donnés, l'artisan est en mesure d'appliquer le processus de création, de fabrication et de diffusion d'objets d'expression ou de production.

En tant que bijoutier-joaillier (573.01, Joaillerie)
- Concevoir et exécuter des bijoux simples ou complexes, contemporains ou traditionnels, en or ou autre métal précieux, ornés de pierres ou d'autres matériaux décoratifs.

En tant que verrier (573.02, Verre)
- Créer des objets de verre par des techniques de verre en fusion, de verre à chaud et de verre à froid.

En tant que créateur-producteurs d'objets meublants décoratifs ou utilitaires (573.04, Ébénisterie)
- Étudier les plans, les spécifications ou les dessins des articles à fabriquer ou en préparer les spécifications.
- Actionner des machines à travailler le bois, façonner des pièces ou des éléments, réparer ou remodeler des accessoires en bois et des articles connexes.
- Utiliser des essences pour les incrustations, la marqueterie et la coloration.

En tant que créateur-producteur d'instruments à cordes pincées ou à archets (573.05, Lutherie)
- Fabriquer des instruments de musique à cordes à l'aide d'outils manuels et électriques mettant en pratique la connaissance des propriétés du bois et de la conception d'instruments.

En tant que sculpteur sur bois (573.06, Sculpture sur bois)
- Créer des sculptures, des statues et autres oeuvres artistiques à trois dimensions en sculptant et en utilisant le bois.
- Utiliser des procédés de taille directe tels que ronde-bosse, le haut et le bas-relief ainsi que des procédés d'assemblage.
- Modeler une forme et maîtriser des techniques de finition.

En tant que créateur-producteur en impression textile (573.07, Impression textile)
- Concevoir des motifs et appliquer les techniques d'impression textile, telles que l'application directe, les techniques de réserves, l'impression directe et les bains de colorants sur des supports textiles de différentes compositions avec des colorants appropriés pour le mode vestimentaire ou la mode-maison.

En tant que créateur-producteur spécialisé dans la transformation de la fibre en matériaux textiles (573.08, Construction textile)
- Créer des étoffes tissées et tricotées à l'aide d'un environnement informatique de pointe.
- Fabriquer des étoffes tissées et tricotées à l'aide de métiers à tisser et de machines à tricoter mécaniques et électroniques.
- Créer et fabriquer des vêtements et des accessoires de mode, des objets textiles destinés aux décors d'intérieur.

- Utiliser d'autres techniques connexes telles que teinture, feutrage, vannerie, broderie, courtepointe, etc.

En tant que créateur-producteur d'objets tridimensionnels, d'argile cuite à vocations utilitaires ou expressives (573.09, Céramique)
- Dessiner les formes et les motifs.
- Reporter le motif décoratif sur le dessin définitif de la pièce de céramique, le peindre à l'aquarelle.
- Confectionner le modèle en argile à la main, à l'aide d'un tour de potier.
- Peindre le motif décoratif sur le modèle et y appliquer l'émail au pinceau.

Qualités et aptitudes développées
• Sens esthétique • Minutie • Précision • Créativité

Postes occupés
Voir ci-haut.

N.B. Ces programmes d'études forment des artisans de métiers d'art. La très grande majorité d'entre eux travaillent à leur compte, ce qui rend l'évaluation du placement et des salaires difficile.

Lieux de formation et de recrutement
Communiquez avec les cégeps suivants:

Alma: (573-04)
Limoilou: (573.01) (573.04) (573.05) (573.06) (573.08) (573.09).
Vieux Montréal: (573.01) (573.02) (573.04) (573.07) (573.08).

INFOGRAPHIE EN PRÉIMPRESSION 581.02
(CONCEPTION TYPOGRAPHIQUE)

Définition

L'infographe en préimpression est la personne responsable de la conception et de la réalisation technique de documents graphiques destinés à être imprimés commercialement ainsi que de leur reproduction sur les supports d'impression. L'option en conception typographique permet au technicien de se spécialiser dans la conception, la réalisation et le contrôle de la qualité des mises en pages à l'aide du micro-ordinateur. Il voit à adapter ces documents aux procédés d'impression qui serviront à leur reproduction.

Compétences acquises

- Analyser le travail à effectuer pour différents documents graphiques afin d'en comprendre le message et d'en déterminer les étapes de production idéales.
- Saisir sur ordinateur les différents éléments d'un document graphique et les préparer en fonction des spécifications techniques relatives à l'impression de ce même document.
- Assembler et disposer harmonieusement sur micro-ordinateur tous les éléments de la mise en page d'un document graphique devant être imprimé.
- Concevoir la maquette, en tenant compte des éléments importants du message et des contraintes techniques relatives aux documents imprimés.
- Déterminer, à partir des caractéristiques de la maquette, les styles, les grosseurs des caractères et les blancs d'espacement.
- Réaliser la mise en page sur micro-ordinateur en intégrant tous les éléments de texte et d'image.
- Produire les épreuves de vérification, les films, les plaques et autres supports pour l'impression.

Qualités et aptitudes développées

• Développement des connaissances et des habilités techniques complexes dans le domaine de la préimpression • Goût de la micro-informatique et ouverture au changement technologique • Sens esthétique, goût de la précision technique et scientifique, souci de la qualité • Capacité de représentation mentale et de visualisation • Capacité d'analyse, de synthèse et d'organisation du travail • Aptitude à la résolution de problèmes et capacité d'innovation • Autonomie personnelle et dans la prise de décision relative aux techniques • Communication écrite, orale et capacité d'écoute

Postes occupés

- Infographe en préimpression
- Infographe en conception typographique
- Technicien de mise en page électronique
- Technicien en typographie
- Technicien en contrôle de la qualité en imprimerie
- Coordonnateur de production en préimpression
- Estimateur en imprimerie
- Représentant et consultant en imprimerie

Indicateur du placement 1988 à 1993

Sortants répondants se destinant à l'emploi:	294	
Total des répondants en emploi:	259	88%

Salaire en 1993

Initial moyen: 10,00 $/heure
Initial supérieur: 16,00 $/heure

Lieu de formation et de recrutement

Communiquez avec le cégep Ahuntsic.

TECHNOLOGIE DE L'IMPRESSION 581.04

Définition
Le technicien en impression procède au contrôle des différents paramètres afin de réaliser un travail d'impression conforme aux normes de qualité maximum sur divers types de presses.

Compétences acquises
- Mettre en oeuvre tout le travail de préparation de la presse en fonction du devis technique préétabli ou à établir.
- Maîtriser les connaissances et les habilités nécessaires pour reproduire un travail d'impression: sélection des couleurs, préparation des solutions, détermination des paramètres reliés à l'ajustement de la presse, au fonctionnement de celle-ci et à la finition.
- Maîtriser la compréhension du fonctionnement et de l'ensemble des techniques spécifiques d'opération, et cela pour divers formats, des duplicateurs offset deux couleurs, multicouleurs et en quadrichromie, des presses à feuilles une couleur, multicouleurs quadrichromie; de presses rotatives et de presses flexographiques multicouleurs.
- Produire les plaques, vérifier celles-ci ainsi que les matières premières telles que le papier, les encres nécessaires au tirage et leur préparation.
- Réaliser des travaux d'impression sur duplicateurs offset (11" X 17"), multicouleurs et quadrichromie (11"x 17"); sur presse une ou deux couleurs(17"x 22" et 25"x 34"); sur presse informatisée quatre couleurs(19"x 25"); sur presse flexographique multicouleur et simuler avec un logiciel des tirages sur presse rotative.
- Maintenir un niveau de qualité égal ou supérieur aux exigences du client en sélectionnant et en effectuant les ajustements nécessaires en cours d'impression.
- Élaborer et appliquer des programmes d'entretien préventif afin de maintenir l'équipement en bonne condition et en effectuant des vérifications régulières.
- Assurer l'organisation de divers travaux d'imprimerie: planification, contrôle de la qualité, estimation des coûts.

Qualités et aptitudes développées
- Développement des connaissances et des habiletés techniques complexes dans le domaine de l'impression • Goût de la précision technique et scientifique, sens esthétique • Capacité de concentration, d'observation, d'attention soutenue et de résistance au stress • Souci de la qualité, du détail et de la précision • Aptitude à la résolution de problèmes • Capacité d'organisation de travail, d'autonomie personnelle et aptitude au travail d'équipe • Communication écrite et orale

Postes occupés
- Technicien en impression
- Technicien d'opération de diverses presses en imprimerie
- Technicien en contrôle de la qualité en imprimerie
- Coordonnateur de production en impression
- Estimateur en imprimerie
- Représentant et consultant en imprimerie

Indicateur du placement 1988 à 1993
Sortants répondants se destinant à l'emploi: 118
Total des répondants en emploi: 113   96%

Salaire en 1993
Initial moyen: 10,00 $/heure
Initial supérieur: 12,30 $/heure

Lieu de formation et de recrutement
Communiquez avec le cégep Ahuntsic.

INFOGRAPHIE EN PRÉIMPRESSION 581.06
(TRAITEMENT DE L'IMAGE)

Définition

L'infographe en préimpression est la personne responsable de la conception et de la réalisation technique de documents graphiques destinés à être imprimés commercialement ainsi que de leur reproduction sur les supports d'impression. L'option en traitement de l'image permet au technicien de se spécialiser en préparation d'images en noir et blanc et en couleurs à l'aide d'appareils électroniques spécialisés et de postes informatiques. Il voit à adapter ces documents aux procédés d'impression qui serviront à leur reproduction.

Compétences acquises

• Analyser le travail à effectuer pour différents documents graphiques afin d'en déterminer les étapes de productions idéales.

• Saisir sur ordinateur les différents éléments d'un document graphique et les préparer en fonction des spécifications techniques relatives à l'impression de ce même document.

• Assembler et disposer harmonieusement sur micro-ordinateur tous les éléments de la mise en page d'un document graphique devant être imprimé.

• Réaliser l'analyse technique du document noir et blanc et en couleurs à reproduire, afin de déterminer les moyens de reproduction appropriés aux conditions d'impression.

• Traiter des originaux noir et blanc et en couleurs au moyen d'appareils électroniques et informatiques pour satisfaire aux demandes de la clientèle et répondre aux exigences des procédés d'impression.

• Produire et contrôler la qualité des films réalisés à partir des travaux exécutés selon des normes établies.

• Produire les épreuves de vérification, les films, les plaques et autres supports pour impression.

Qualités et aptitudes développées

• Développement des connaissances et des habiletés techniques complexes dans le domaine de la préimpression • Goût de la micro-informatique et ouverture au changement technologique • Sens esthétique, goût de la précision technique et scientifique, souci de la qualité • Capacité de représentation mentale et de visualisation • Capacité d'analyse, de synthèse et d'organisation du travail • Aptitude à la résolution de problèmes et capacité d'innovation • Autonomie personnelle et dans la prise de décision relative aux techniques • Communication écrite, orale et capacité d'écoute

Postes occupés

• Infographe en préimpression
• Technicien en traitement de l'image
• Technicien en reproduction noir et blanc et couleurs,
• Technicien en reproduction électronique des images
• Technicien de sélection des couleurs sur scanner
• Technicien en contrôle de la qualité en imprimerie
• Coordonnateur de production en préimpression
• Estimateur en imprimerie
• Représentant et consultant en imprimerie

Indicateur du placement 1988 à 1993

Sortants répondants se destinant à l'emploi:	294	
Total des répondants en emploi:	259	88%

Salaire en 1993

Initial moyen: 10,00 $/heure
Initial supérieur: 16,00 $/heure

Lieu de formation et de recrutement

Communiquez avec le cégep Ahuntsic.

GESTION DE L'IMPRIMERIE

Définition

Le technicien en gestion de l'imprimerie est spécialisé dans la gestion de la production en imprimerie. Le technicien en gestion de l'imprimerie reçoit une formation comportant deux volets: celui des communications graphiques et celui de la gestion industrielle.

Compétences acquises

- Connaître et comprendre toutes les étapes de la production de différents imprimés, les matières premières ainsi que les divers équipements disponibles.
- Développer une bonne communication avec le client afin de recevoir les informations nécessaires et que les exigences de celui-ci.
- Déterminer en fonction de divers paramètres le papier à utiliser, le mode de fabrication de différents imprimés, l'équipement à privilégier, les délais de production.
- Coordonner et contrôler la fabrication des imprimés.
- Déterminer le coût d'un imprimé en fonction de la qualité recherchée et de divers paramètres.
- Contrôler les coûts de production et effectuer des études de rentabilité en fonction de divers paramètres.
- Contrôler la qualité du produit.

Qualités et aptitudes développées

• Capacité d'observation détaillée afin de bien analyser les caractéristiques du produit demandé et d'en voir les implications au niveau de la production et des coûts • Capacité de planification, d'organisation des activités et d'intégration • Communication orale et écrite pour établir les contacts avec la clientèle, diriger les travailleurs de l'imprimerie et rédiger diverses sortes de rapports • Aptitudes à utiliser l'informatique comme outil de communication et de gestion • Sens des responsabilités dans le travail technique spécifique avec le client et l'entreprise • Capacité de prise de décision et de résolution de problème • Goût pour l'administration des ressources matérielles et humaines

Postes occupés

- Technicien en gestion de l'imprimerie
- Estimateur en imprimerie
- Représentant technico-commercial en imprimerie
- Contrôleur de la qualité
- Gérant de production
- Consultant en gestion de l'imprimerie

Indicateur du placement 1988 à 1993

Sortants répondants se destinant à l'emploi:	19	
Total des répondants en emploi:	16	84%

Salaire en 1993

Initial moyen:	10,00 $/heure
Initial supérieur:	14,00 $/heure

Lieux de formation et de recrutement

Communiquez avec les cégeps suivants:
Ahuntsic
Beauce-Appalaches

ART ET TECHNOLOGIE DES MÉDIAS 589.01

Définition
Les techniciens en art et technologie des médias sont des spécialistes qui oeuvrent dans le secteur des médias de communication, en information écrite, en publicité et en radio et télévision.

Compétences acquises
- Comprendre le langage, les codes, les principes et les méthodes propres aux communications.
- Maîtriser les concepts, méthodes et processus de la communication des messages d'information.
- Situer l'exercice de sa profession dans le contexte du monde du travail et des entreprises culturelles des médias.
- Faire une revue de l'actualité en vue de développer une conscience de professionnel des médias et d'être capable de rechercher, d'analyser, d'évaluer et de synthétiser l'information.
- Situer les événements rapportés dans les médias dans leurs contextes géographique, historique et politique.
- Maîtriser la langue française dans l'expression orale et écrite nécessaire à l'exercice de sa profession.
- Comprendre, analyser et critiquer les messages d'information pour diffusion publique.
- Appliquer les connaissances de base liées aux fonctions de conception, d'animation, d'information et de production dans les médias.
- Concevoir, réaliser, produire, animer et évaluer des messages médiatiques.
- Identifier et évaluer l'influence de la diffusion des messages dans la société.
- Répondre de manière pertinente à la polyvalence du monde du travail des médias.
- Améliorer et développer sa formation fondamentale et professionnelle dans le cadre de son plan de carrière.

Qualités et aptitudes développées
- Aptitudes pour la communication • Curiosité intellectuelle

Postes occupés
- Annonceur
- Journaliste
- Régisseur
- Scripteur
- Cameraman
- Relationniste
- Assistant à la programmation
- Technicien en montage, au transcodage et en production
- Infographe

Indicateur du placement 1988 à 1993
Sortants répondants se destinant à l'emploi:	521	
Total des répondants en emploi:	451	87%

Salaire en 1993
Initial moyen: 12,00 $/heure
Initial supérieur: 18,70 $/heure

Lieu de formation et de recrutement
Communiquez avec le cégep de Jonquière.

AIDE
AUX ENTREPRISES

SOUTIEN À L'EMPLOI DES TECHNOLOGUES PROFESSIONNELS

Programme du MISCT:

Le ministère de l'Industrie, du Commerce, de la Science et de la Technologie (M.I.C.S.T.) assure une partie du salaire versé par les entreprises qui accordent la priorité d'embauche aux technologues professionnels et aux étudiants affiliés à la Corporation des technologues professionnels du Québec.

Le M.I.C.S.T. permet ainsi aux entreprises admissibles d'accroître ou d'entreprendre des activités de recherche-développement industrielle, contrôle de qualité, de design, d'ingénierie, de production et de transfert de technologie.

Par ces programmes de soutien à l'emploi, le M.I.C.S.T. désire créer des occasions d'embauche pour les membres de la Corporation des technologues professionnels du Québec.

LES ENTREPRISES ADMISSIBLES

Les entreprises admissibles ont entre 2 et 500 employés, sont en exploitation depuis au moins un an et font partie de l'un des groupes suivants:
• les entreprises manufacturières;
• les entreprises de recyclage;
• les entreprises privées du secteur tertiaire technologique offrant des services tels que: laboratoire de recherche et de services scientifiques, services d'informatique, services de création et de design de biens manufacturés. Les entreprises de cette catégorie ayant plus de deux employés sont également admissibles si elles réalisent des projets de recherche-développement et de transfert de technologie orientés vers les besoins industriels;
• les entreprises du secteur de la distribution et du secteur culturel qui répondent aux caractéristiques du programme.

LES CANDIDATS ADMISSIBLES

Les candidats admissibles
• sont étudiants, en 2e et 3e année, affiliés à la Corporation des technologues professionnels et inscrits au Placement étudiant du Québec;
• sont membres en règle (technologues professionnels) de la Corporation;
• possèdent l'expertise et les habiletés nécessaires pour assumer les responsabilités qu'on leur confiera.

Les candidats ne doivent pas avoir été à l'emploi de l'entreprise au cours des six mois précédant leur demande, sauf s'il s'agissait d'un emploi d'été ou stage de formation.

LES PROJETS ADMISSIBLES

L'aide du M.I.C.S.T. porte sur des projets réalisés dans l'un des domaines suivants:
• la recherche-développement industrielle
• le contrôle de la qualité

- le design
- l'ingénierie de production
- le transfert de technologie
- l'informatique de gestion

L'entreprise devra démontrer qu'elle possède les ressources financières et confirmer sa participation au programme de maître de stage de la Corporation pour être admissible au programme de subventions.

L'AIDE FINANCIÈRE ACCORDÉE

Pour l'étudiant affilié à la Corporation:

- 100 $ par semaine si l'entreprise lui verse un salaire hebdomadaire de 250 $. L'aide financière maximale par employeur ne peut excéder 5 000 $.
- L'entreprise ne peut bénéficier d'aucune autre aide gouvernementale pour un même stage.
- Le Placement étudiant du Québec accepte les demandes des employeurs jusqu'à épuisement du budget affecté à ce programme.
- L'entreprise doit embaucher l'étudiant stagiaire pour une période de 8 à 14 semaines.
- Pour être inscrit au programme, l'étudiant doit avoir complété le formulaire «Profil d'expertise» fourni par la Corporation des technologues professionnels.

Pour le technologue professionnel:

- L'entreprise qui embauche un technologue professionnel se voit rembourser, pendant trois ans, une partie du salaire de ce nouvel employé, selon la répartition régionale suivante (% du salaire admissible).
- Dans les régions centrales:
  - pour un technologue de 30 ans ou moins, l'aide couvre 40% du salaire la première année, 20% la deuxième et la troisième année;
  - pour un candidat de plus de 30 ans, l'aide couvre 30% la première année, 20% la deuxième et la troisième année.
- Dans les régions périphériques:
  - l'aide couvre 50% du salaire la première année, 20% la deuxième et la troisième année.
- Dans les M.R.C. démunies des régions périphériques:
  - l'aide couvre 60% du salaire la première année, 20% la deuxième et la troisième année.

Dans tous les cas, la subvention totale versée pour tout technologue professionnel ne peut excéder 40 000 $ dans les régions centrales, 50 000 $ dans les régions périphériques et 55 000 $ dans les M.R.C. démunies des régions périphériques. Une entreprise peut recevoir une aide pour l'engagement d'au plus deux technologues professionnels par période de 12 mois consécutifs.

Pour obtenir des renseignements additionnels, veuillez communiquer avec la Corporation des technologues professionnels au 1265, rue Berri, bureau 720, Montréal, H2L 4X4
Téléphone: (514) 845-3247 ou 1 800 561-3459
Télécopieur: (514) 845-3643

CRÉDIT D'IMPÔT REMBOURSABLE POUR LA FORMATION

Depuis le 1ᵉʳ mai 1994, le CRÉDIT D'IMPÔT REMBOURSABLE POUR LA FORMATION (CIRF) est maintenant applicable aux stages de formation incluant alternance travail-études du niveau collégial. Le taux remboursable est de 40% des dépenses admissibles qui sont:

1. le salaire versé au stagiaire (maximum 15 $/heure);

2. le salaire versé à l'employé qui agit à titre de superviseur de stage (maximum 30 $/heure avec une limite du nombre d'heures d'encadrement).

Tout ce que l'employeur a à faire:

vérifier que l'entreprise est une corporation admissible au crédit d'impôt et produire, avec sa déclaration de revenu, un formulaire prescrit par le ministère du Revenu.

Adressez-vous au:

cégep, au gestionnaire responsable de l'application du crédit d'impôt pour fins de stages

OU AU

ministère de l'Éducation du Québec, à Madame Doris Boucher, au numéro de téléphone (418) 644-8076.

COMMENT
S'Y RETROUVER

BOTTIN DES SERVICES DE PLACEMENT

**Abitibi-Témiscamingue,
Cégep de l'**
425, boul. du Collège
C.P. 1500
Rouyn
J9X 5E5
Josée Gélinas
Téléphone: (819) 762-0931 # 1353
Télécopieur: (819) 762-3815

Ahuntsic, Cégep
9155, rue St-Hubert
Montréal
H2M 1Y8
Francine St-Pierre
Téléphone: (514) 389-5921 # 2640
Télécopieur: (514) 389-4554

Alma, Cégep d'
675, boul. Auger Ouest
Alma
G8B 2B7
Antoinette Tremblay
Téléphone: (418) 668-2387 # 256
Télécopieur: (418) 668-3806

André-Laurendeau, Cégep
1111, rue Lapierre
Lasalle
H8N 2J4
Marie Laberge
Diane Plante (emploi d'été)
Téléphone: (514) 364-3320
         # 136 # 139 # 202
Télécopieur: (514) 364-7130

André-Grasset, Collège
1001, boul. Crémazie Est
Montréal
H2M 1M3
Michèle Melanson
Téléphone: (514) 381-4293 # 274
Télécopieur: (514) 381-7421

Assomption, Collège de l'
270, boul. l'Ange-Gardien
L'Assomption
J0K 1G0
Suzanne Boucher
Sylvie Girard
Téléphone: (514) 589-5621
          # 271 # 209
Télécopieur: (514) 589-2910

Baie-Comeau, Cégep de
537, boul. Blanche
Baie-Comeau
G5C 2B2
Bernard Lavoie
Téléphone: (418) 589-5707
           #2180
Télécopieur: (418) 589-9842

Bart, Collège
751, côte d'Abraham
Québec
G1H 1A2
Johanne Renauld
Téléphone: (418) 522-3906
Télécopieur: (418) 522-5456

Beauce-Appalaches, Cégep
1055, 116e rue
Ville de St-Georges
G5Y 3G1
Jean Guay
Pierrette Poulin
Téléphone:(418) 228-8896 # 226
Télécopieur: (418) 228-0562

Bois-de-Boulogne, Cégep de
10555, av. de Bois-de-Boulogne
Montréal
H4N 1L4
Pierre Tison
Téléphone: (514) 332-3000
          # 328 # 334
Télécopieur: (514) 332-0527

**Champlain Regional
College (St-Lambert)**
900, Riverside Drive
St-Lambert
J4P 3P2
Élise Rabinowicz
Téléphone: (514) 672-7360 # 258
Télécopieur: (514) 672-9299

**Champlain Regional
College (St-Lawrence)**
790, Nérée-Tremblay
Ste-Foy
G1V 4K2
Téléphone: (418) 656-6921 # 119
Télécopieur: (418) 656-6925

**Champlain Regional
College (Lennoxville)**
Lennoxville
J1M 2A1
Suzanne Meesen
Téléphone: (819) 822-9600 # 246
Télécopieur: (819) 822-9661

Chicoutimi, Cégep de
534, Jacques-Cartier Est
Chicoutimi
G7H 1Z6
Joseph-Marie Bouchard
Téléphone: (418) 549-9520 # 220
Télécopieur: (418) 549-1315

Commerciale du Cap, École
155, Latreille
Cap-de-la-Madeleine
G8T 3E8
Gérard Bruneau
Françine Roberge
Téléphone: (819) 691-2600
Télécopieur: (819) 374-9309

Dawson, College
Pavillon Atwater
3040, Sherbrooke Ouest
Montréal
H3Z 1A4
Charles Bohbot
Téléphone: (514) 931-8731
          # 1184
Télécopieur: (514) 931-2869

Drummondville, Cégep de
960, St-Georges
Drummondville
J2C 6A2
Yvon Bibeau
Téléphone: (819) 478-4671 # 234
Télécopieur: (819) 474-6859

Édouard-Montpetit, Cégep
945, chemin de Chambly
Longueuil
J4H 3M6
Johanne Tremblay
Téléphone: (514) 679-2630 # 310
Télécopieur: (514) 679-5570

Ellis (d'affaires), Collège
400, Hériot
Drummondville
J2B 1B3
Jacques Scalzo
Téléphone: (819) 477-3113
Télécopieur: (819) 477-4556

Français, Collège
185, rue Fairmount Ouest
Montréal
H2T 2M6
Téléphone: (514) 495-2581
Télécopieur:(514) 271-2823

François-Xavier-Garneau, Cégep
1660, boul. de l'Entente
Québec
G1S 4S3
Thérèse Robitaille
Gilles Rodrigue
Téléphone: (418) 688-8310
           # 2259
Télécopieur:(418) 681-9384

Gaspésie et des Îles, Cégep de la
96, Jacques-Cartier
C.P. 590
Gaspé (Gaspé-sud)
G0C 1R0
Patrice Arsenault
Téléphone: (418) 368-2201 # 437
Télécopieur:(418) 368-7003

Granby Haute-Yamaska, Cégep de
50, rue St-Joseph
C.P. 7000
Granby
J2G 9H7
Dominique Paillé
Téléphone: (514) 372-6614
           #308
Télécopieur:(514) 372-6565

Heritage, College
205, avenue Laurier
Hull
J8X 4J3
Christine Smith
Téléphone: (819) 778-2270
           # 1320
Télécopieur:(819) 778-7364

Institut de technologie agro-alimentaire de La Pocatière
401, Poiré
La Pocatière
G0R 1Z0
Céline Francoeur
Téléphone: (418) 856-1110
           # 237
Télécopieur:(418) 856-1719

Institut de technologie agro-alimentaire de St-Hyacinthe
3230, rue Sicotte
C.P. 70
St-Hyacinthe
J2S 2M2
Céline Laliberté
Téléphone: (514) 778-6504
           #245
Télécopieur:(514) 778-6536

John Abbott, College
C.P. 2000
Ste-Annne-de-Bellevue
H9X 3L9
Sylvie Boucher
Téléphone: (514) 457-6610 # 314
Télécopieur:(514) 457-4730

Joliette-De Lanaudière, Cégep
20, rue St-Charles Sud
Joliette
J6E 4T1
Pierrette Madon
Téléphone: (514) 759-1661 # 116
Télécopieur:(514) 759-4468

Jonquière, Cégep de
2505, rue St-Hubert
C.P. 340
Jonquière
G7X 7W2
Gérard Sénéchal
Téléphone: (418) 547-2191 # 271
Télécopieur: (418) 542-1095

La Pocatière, Cégep de
140, 4e avenue
La Pocatière (Kamouraska)
G0R 1Z0
Dominique Nadeau
Téléphone: (418) 856-1525 # 216
Télécopieur: (418) 856-1283

Laflèche, Collège
1687, boul. du Carmel
Trois-Rivières
G8Z 3R8
Hélène Brouillette
Téléphone: (819) 375-7346
#3031
Télécopieur: (819) 375-7347

LaSalle, Collège
2000, Ste-Catherine Ouest
Montréal
H3H 2T2
Steven McNair
Téléphone: (514) 939-2006 # 427
Télécopieur: (514) 939-2015
Diane Pelletier
Téléphone: (514) 939-2006 # 418
Télécopieur: (514) 939-2015

Lévis, Collège de
9, rue Mgr Gosselin
Lévis
G6V 5K1
François Bilodeau
Téléphone: (418) 833-1249 # 136
Télécopieur: (418) 837-7592

Lévis-Lauzon, Cégep de
205, rue Mgr Bourget
Lauzon (Lévis)
G6V 6Z9
Christine Lévesque
Téléphone: (418) 833-5110
3313
Télécopieur: (418) 833-7323

Limoilou, Cégep de
1300, 8e avenue
C.P. 1400
Québec
G1K 7H3
Jean-Pierre Lacasse
Téléphone: (418) 647-6642
Télécopieur: (418) 647-6795

Lionel-Groulx, Cégep
100, rue Duquet
Ste-Thérèse
J7E 3G6
Walter Cioce
Téléphone: (514) 430-3120
#238
Télécopieur: (514) 430-2783

Maritime du Québec, Institut
35, rue St-Germain Ouest
Rimouski
G5L 4B4
Pierre Michotte
Téléphone: (418) 724-2822
#2026
Télécopieur: (418) 724-0606

Macdonald, College
21111, Lakeshore Road
Ste-Anne-de-Bellevue
H9X 3V9
Chris Schon
Téléphone: (514) 398-7992
#8737
Télécopieur: (514) 398-7610

Maisonneuve, Cégep de
3800, Sherbrooke Est
Montréal
H1X 2A2
Murielle Généreux
Téléphone: (514) 254-7131
          # 4253
Télécopieur: (514) 254-3266

Marie-Victorin, Cégep
7000, Marie-Victorin
Montréal
H1G 2J6
Dominique Laterreur
Téléphone: (514) 325-0150
          #2303
Télécopieur: (514) 328-3830

Matane, Cégep de
616, avenue St-Rédempteur
Matane
G4W 1L1
Claude Lalancette
Téléphone: (418) 562-1240
          # 2430
Télécopieur: (418) 566-2115

Merici, Collège
755, chemin St-Louis
Québec
G1S 1C1
André Asselin
Téléphone: (418) 683-1591 # 239
Télécopieur: (418) 682-8938

Moderne 3R, Collège
3730, Nérée-Beauchemin
Trois-Rivières
G8Y 1C1
Cécile Brunelle
Patrick Forcier
Yvon Forcier
Téléphone: (819) 378-1123
Télécopieur: (819) 378-1154

Montmorency, Cégep
475, boul. de l'Avenir
Laval
H7N 5H9
Lise Levasseur
Téléphone: (514) 975-6371
Télécopieur: (514) 975-6373

Notre-Dame-de-Foy, Campus
5000, rue Clément-Lockquell
St-Augustin-de-Desmaures
G3A 1B3
Jean-Guy Legault
Téléphone: (418) 872-8041
          #465
Télécopieur: (418) 872-3448

O'Sullivan/Montréal, College
1191, rue de la Montagne
Montréal
H3G 1Z2
Judith Lacroix
Luisa Petrozza
Téléphone: (514) 866-4622
Télécopieur: (514) 866-6663

O'Sullivan/Québec, College
600, rue St-Jean
Québec
G1R 1P8
Claire Guillemette
Sylvie Vézina
Téléphone: (418) 529-3355
Télécopieur: (418) 523-6288

Outaouais, Cégep de l'
333, boul. Cité des Jeunes
C.P. 5220
Hull
J8Y 6M5
Téléphone: (819) 770-4012 # 332
Télécopieur: (819) 770-3855

**Région de l'Amiante,
Cégep de la**
671, boul. Smith Sud
Thetford-Mines
G6G 1N1
Lucie Tardif
Téléphone: (418) 338-8591 # 296
Télécopieur: (418) 338-3498

Rimouski, Cégep de
60, rue de l'Évêché Ouest
Rimouski
G5L 4H6
Claude Mongrain
Téléphone: (418) 723-1880
            # 2183
Télécopieur: (418) 724-4961

Rivière-du-Loup, Cégep de
80, rue Frontenac
Rivière-du-Loup
G5R 1S8
Gaétan St-Pierre
Téléphone: (418) 862-6903 # 362
Télécopieur: (418) 862-4959

Rosemont, Cégep de
6400, 16ᵉ avenue
Montréal
H1X 2S9
Pierre Simard
Téléphone: (514) 376-1620 # 243
Télécopieur: (514) 376-8279

St-Félicien, Cégep de
1105, boul. Hamel
C.P. 7300
St-Félicien
G8K 2R8
Rémi Blouin
Téléphone: (418) 679-5412 # 216
Télécopieur: (418) 679-8357

St-Hyacinthe, Cégep de
3000, rue Boullé
St-Hyacinthe
J2S 1H9
Yves Brouillard
Téléphone: (514) 773-6800 # 140
Télécopieur: (514) 773-9971

St-Jean-sur-Richelieu, Cégep
30, boul. du Séminaire
C.P. 1018
St-Jean-sur-Richelieu
J3B 7B1
Carole Duquette
Carole Savoie
Téléphone: (514) 347-5301
            # 2360
Télécopieur: (514) 347-4433

St-Jérôme, Cégep de
455, rue Fournier
St-Jérôme
J7Z 4V2
André Simard
Téléphone: (514) 436-1580 # 166
Télécopieur: (514) 436-1756

St-Laurent, Cégep de
625, avenue Ste-Croix
St-Laurent
H4L 3X7
Rollande Martel
Téléphone: (514) 747-6521 # 265
Télécopieur: (514) 747-6778

Ste-Foy, Cégep de
2410, chemin Ste-Foy
Ste-Foy
G1V 1T3
Brigitte Gagnon
Téléphone: (418) 659-6600
            # 3727
Télécopieur: (418) 656-4457

Secrétariat, Collège de
1800, boul. René-Lévesque Ouest
Montréal
H3H 2H2
Johanne Guillotte
Téléphone: (514) 932-1122
Télécopieur: (514) 932-6923

Secrétariat Notre-Dame, Collège de
2330, Sherbrooke Ouest
Montréal
H3H 1G8
Patricia Landry
Téléphone: (514) 935-2531
Télécopieur: (514) 935-8401

Sept-Îles, Cégep de
175, rue de La Vérendry
Sept-Îles
G4R 5B7
Hermel St-Amand
Téléphone: (418) 962-9848 # 259
Télécopieur: (418) 962-2458

Shawinigan, Cégep de
2263, boul. du Collège
C.P. 610
Shawinigan
G9N 6V8
Alyre Charest
Téléphone: (819) 539-6401 # 303
Télécopieur: (819) 539-8819

Sherbrooke, Cégep de
475, rue Parc
Sherbrooke
J1H 5M7
Suzanne Bourbonnais
Téléphone: (819) 564-6118
Télécopieur: (819) 564-4025

Sorel-Tracy, Cégep de
3000, boul. de la Mairie
Tracy
J3R 5B9
Carole Lambert
Téléphone: (514) 742-6651 # 291
Télécopieur: (514) 742-1795

Teccart, Institut
3155, Hochelaga
Montréal
H1W 1G4
Léopold Théroux
Téléphone: (514) 526-2501
Télécopieur: (514) 526-9192

Tourisme et Hôtellerie du Québec, Institut de
401, rue de Rigaud
Montréal
H2L 4P3
Jean-Marc Dubreuil
Linda Poisson
Téléphone: (514) 282-5108
Télécopieur: (514) 873-9893

Trois-Rivières, Cégep de
3500, rue de Courval
C.P. 97
Trois-Rivières
G9A 5E6
Maryse Paquette
Téléphone: (819) 376-1721
#23101
Télécopieur: (819) 376-2595

Valleyfield, Cégep de
169, rue Champlain
Valleyfield
J6T 1X6
Luc Thifault
Téléphone: (514) 373-9441
6023
Télécopieur: (514) 373-7719

Vanier, College
821, avenue Ste-Croix
St-Laurent
H4L 3X9
Terry Meldrum
Téléphone: (514) 744-7500
Télécopieur: (514) 744-7501

Victoriaville, Cégep
475, rue Notre-Dame Est
Victoriaville
G6P 4B3
Colette Marcotte
Téléphone: (819) 758-6401
Télécopieur: (819) 758-6080

Vieux Montréal, Cégep du
255, rue Ontario Est
C.P. 1444 Succ. C
Montréal
H2X 3M8
Gérard Dubord
Téléphone: (514) 982-3437
            # 2037
Télécopieur: (514) 982-3432

INDEX ALPHABÉTIQUE
DES PROGRAMMES

INDEX ALPHABÉTIQUE
DES PROGRAMMES

E

F

G

H

I

INDEX NUMÉRIQUE
DES PROGRAMMES

INDEX NUMÉRIQUE
DES PROGRAMMES

Les techniques biologiques et agro-alimentaires

Les techniques physiques

Les techniques humaines

Les techniques de l'administration

Les arts et les communications graphiques

INDEX
DES POSTES OCCUPÉS
PAR LES DIPLÔMÉS

INDEX DES POSTES OCCUPÉS PAR LES DIPLÔMÉS

A

177

C

E

F

G

H

I

NOTES